DER FRANZÖSISCHE WEG
ETAPPE 3. LARRASOAÑA – PAMPLONA

Man überquert die Brücke über den Arga auf der man auf der vorigen Etappe nach **Larrasoaña** hineinkam und wandert dann auf einer Piste, die bis **Aquerreta**, das 1km entfernt liegt, hinaufschlängelt, um von da aus wieder auf einem von Ahornen, Nuss- und Buchsbäumen, Pinien und anderen Baumarten gesäumten Pfad, hinabzusteigen. Hinter der Landstraße, kommt man durch einen Pinien und einen Buchenwald am Fuße des Berges Maliturri, um sich dann bergab zum Fluss Arga zu begeben. Man wandert durch den Wald am Flussufer entlang bis nach **Zuriáin**, wo man den Fluss überquert und dann auf der Landstraße N-135 weiterzieht. 500m weiter erscheint die Abzweigung nach Ilurdoz. Wenn man ihr folgt, kommt man auf das linke Flussufer und nachdem wir ein paar Häuser hinter uns gelassen haben (im Hintergrund sieht man einen alten Steinbruch) und an einem Pinienwald vorbeigegangen sind, sehen wir den Arga an den Äckern vorbeifließen. Hinter **Iroz** überquert man von Neuem den Lauf des Arga (am Fluss entlang hat man einen Park angelegt), diesmal rechts und wandert dann zwischen der Landstraße und dem Fluss bis **Zabaldica** (nach dem km. 7) weiter. Dort nimmt man eine Pfad, der neben dem Asphalt herläuft, bis er auf der Höhe eines Wirtshauses die Straße kreuzt, um einen anderen Fußweg zu nehmen auf dem man den Hang des Berges Narval hinaufsteigt (Buchsbaum und Nadelbaumpflanzungen) bis vor uns die Kapelle der Heiligen Marina (Ermita de Santa Marina) in **Arleta** auftaucht, wohin man hinabsteigen muss. Dieses Dorf verlässt man zwischen Eichen und Ahornen und lässt die Siedlung Burrín (ein Dorf, das im XIV. Jh. Verlassen wurde) hinter sich. Vor dem km.10 steigt der Weg hinab und führt durch einen Tunnel unter der Umgehungsstraße hindurch um zwischen dieser Straße und dem Berg Miravalles (der auch mit Nadelbäumen bepflanzt ist) weiterzuführen. Nach etwas mehr als 500m führt die Brücke über den Fluss Ulzama zur Basilika der Dreifaltigkeit von Arre (Basílica de la Trinidad de Arre) und nach einigen Schritten erscheint **Villava**. Seine Hauptstraße (Calle Mayor) führt nach **Burlada**, das mit Villava verschmolzen ist. Man muss ebenfalls auf seiner Hauptstraße weitergehen und dann nach rechts abbiegen (auf der Höhe der Schule Amor de Dios) in Richtung eines Tunnels, der unter der Straße hindurchführt. Danach erscheint das rechte Ufer des Arga, wo man die Landstraße von Burlada nimmt, die zwischen Gemüsegärten und Häusern zur Magdalenenbrücke (Puente de la Magdalena) führt, auf der man nach **Pamplona** hineingeht. Ist man einmal in der Stadt, nachdem man durch das Tor »Puerta de Zumalacárregui« getreten ist, kommt man durch die Straßen Calle del Carmen (von welcher man durch die Straße Calle Navarrería zur Kathedrale kommt), Calle Mercaderes, den Platz Plaza Consistorial und die Straßen Calle de San Saturnino, Mayor und Bosquecillo um zur Zitadelle zu gelangen.

RADFAHRER

Wenn man nicht den hügeligen Weg, dem die Pilger zu Fuß folgen, nehmen will: die Landstraße N-135 hat denselben Verlauf.

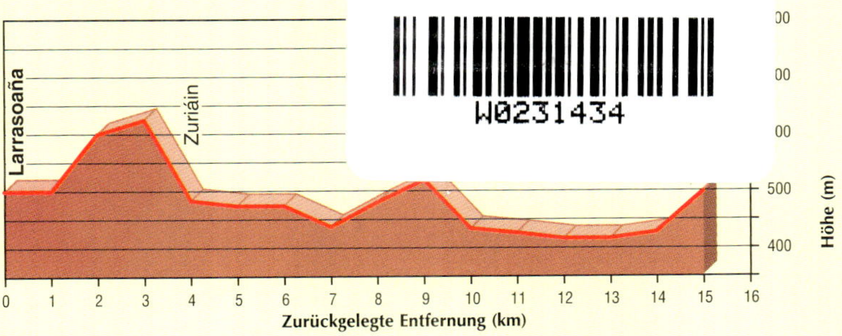

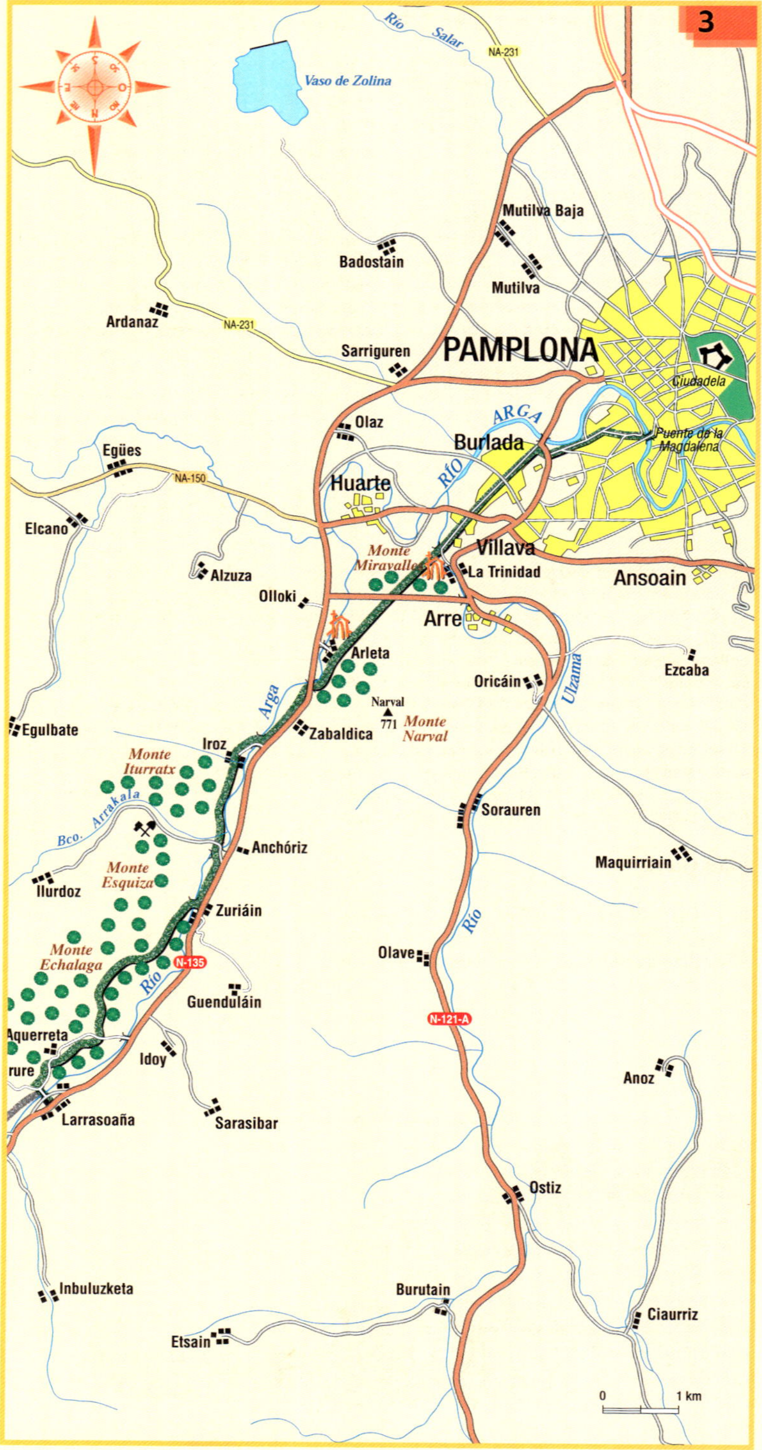

3
Río Salar
NA-231
Vaso de Zolina
Mutilva Baja
Badostain
Mutilva
Ardanaz
NA-231
Sarriguren
PAMPLONA
Ciudadela
Olaz
ARGA
Burlada
Puente de la Magdalena
Egües
NA-150
Huarte
RÍO
Elcano
Monte Miravalles
Villava
La Trinidad
Ansoain
Alzuza
Olloki
Arre
Arleta
Oricáin
Ezcaba
Ulzama
Arga
Narval
771
Monte Narval
Egulbate
Zabaldica
Iroz
Monte Iturratx
Bco. Arrakala
Sorauren
Anchóriz
Maquirriain
Ilurdoz
Monte Esquiza
Zuriáin
Río
Monte Echalaga
Olave
N-135
Río
Guenduláin
N-121-A
Aquerreta
Idoy
Anoz
Larrasoaña
Sarasibar
Ostiz
Inbuluzketa
Burutain
Ciaurriz
Etsain
0
1 km

DER FRANZÖSISCHE WEG
ETAPPE 1. SAINT-JEAN-PIED-DE-PORT – RONCESVALLES

Von der Rue de la Citadelle aus, steigt der Jakobsweg hinab, um den Fluss Nive zu überqueren, führt dann über die Rue d'Espagne weiter und verlässt die Stadtmauer durch die Port d'Espagne. Von hier aus kann man entweder die Napoleonroute oder die Route durch Valcarlos über die Landstraße N-133 nehmen.

a) Wenn man die erste Möglichkeit vorzieht, muss man nach links in Richtung **Saint-Michel** abbiegen, und wenn man an eine Weggabelung kommt, dem Schild »Route de Napoleon et du Marechal Harispe« folgen. Während etwas mehr als 5km, steigt eine von Kastanienbäumen und ein paar Eichen gesäumte Asphaltpiste zwischen Wiesen und Gehöften hinauf. Nach **Untto**, die letzte Ortschaft vor Roncesvals, folgt der Jakobsweg derselben Piste (außer einmal, wo er sie verlässt, um weiter oben wieder mit ihr zusammenzutreffen) und führt so über Bergwiesen, zwischen Gebüsch und Farnkraut hinauf, während die Hänge und Täler mit Wäldern aus Buchen, Tannen und Eichen bewachsen sind. Nach dem km. 15 trennt sich die Piste von unserer Route in Richtung Organbide. Dagegen folgt unser grasbewachsener Pfad bis zum Bergrücken von Bentartea, über die Hänge von Leizar Atheka und später neben dichten Buchenwäldern an dem Stacheldraht entlang, der Frankreich von Spanien trennt. Weniger als 1 Kilometer weiter, an der Grenze und bei dem Rolandsbrunnen (Fuente de Roldán), informiert uns eine Steinplatte »Saint-Jaques de Compostelle- 765km«. Hinter dem Bergrücken von Bentartea verläuft ein mit Steinen gepflasterter Weg am Nordhang des Berges Txangoa entlang und lässt die Überreste von Elizarra hinter sich. Der Bergrücken von Izandorre (über der Schlucht von Txangoa) geht in die östlichen Hänge des Aztobiskar über. Wenn man hinter dem Bergrücken Lepoeder eine Piste überquert, die von Ibañeta nach Ortzanzurieta führt, bieten sich einem zwei Möglichkeiten: den Weg nach **Ibañeta** zu nehmen, der über eine Piste bis zum Pass verläuft und von da nach **Roncesvals** führt, oder zwischen Buchenwäldern auf dem sogenannten »Alten Weg«, der alten Römerstraße, einen steilen und gefährlichen Abhang hinunterzusteigen. Beide Alternativen treffen hinter der Stiftskirche wieder zusammen.

b) Man muss die Landstraße N-133 nehmen, und nachdem man den »Petit Nive« überquert hat, durch ein schattiges Tal voller Bäume, die für die Wälder an Wasserläufen charakteristisch sind (Weiden, Erlen, Trauerweiden...), dem Flusslauf bis **Arneguy** folgen. Die spanische Grenze uberschreitet man in **Las Ventas**, kurz vor Arneguy. Von diesem letzten Ort aus, wandert man neben der Landstraße weiter, kommt durch **Valcarlos** und an vielen Gehöften vorbei und steigt dann wieder durch Buchen und Eichwälder bis zur Schlucht von Ortiga hoch. Von hier ab und bis nach Ibañeta verlässt man die Landstraße und nimmt den Weg nach Zabaleta. Einmal in **Ibañeta** angekommen, steigt man nach **Roncesvals** auf einem Pfad hinab, der durch einen Buchenwald führt und hinter der Domkirche mit dem »Alten Weg« zusammentrifft.

RADFAHRER

Da man große Höhenunterschiede überwinden muss, ist es ratsam, auf der Landstraße über die Route von Valcarlos zu fahren. Auf dem anderen Weg reicht die asphaltierte Piste fast bis zur spanischen Grenze aber danach verschwindet sie im Gras und der Abstieg ist sehr gefährlich.

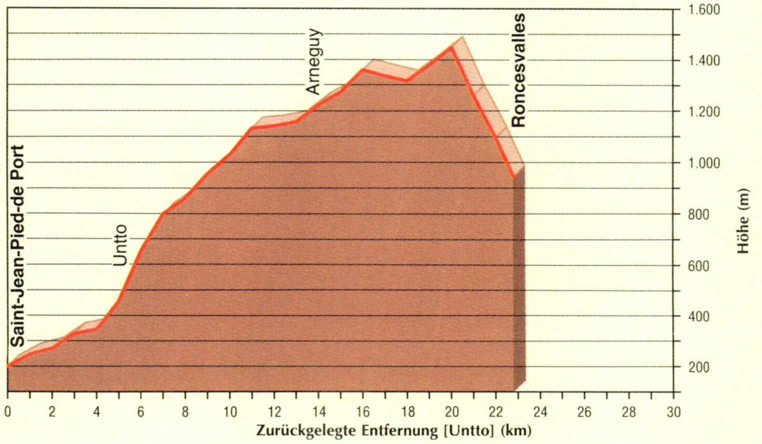

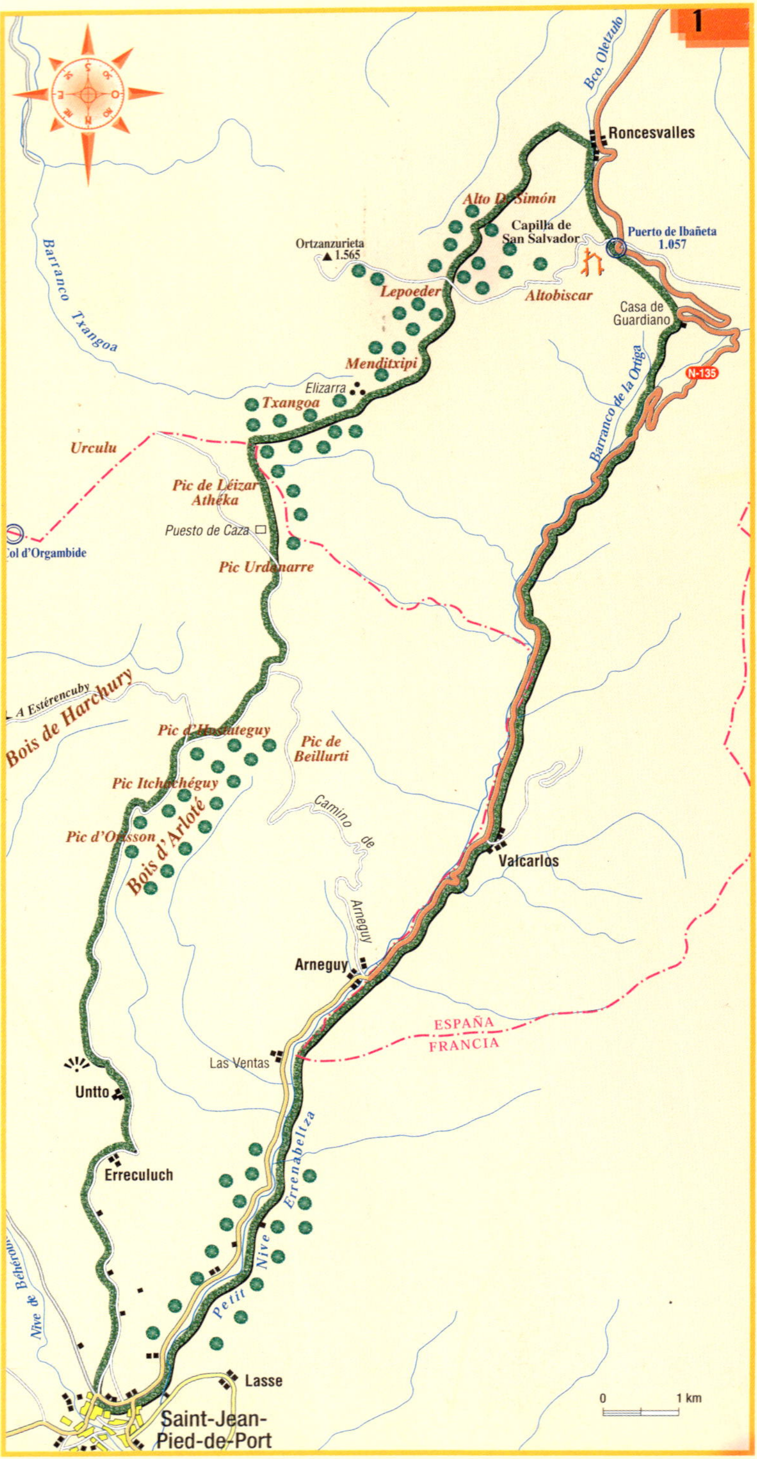

1
Bco. Oletzulo
Roncesvalles
Alto D. Simón
Capilla de
San Salvador
Puerto de Ibañeta
1.057
Ortzanzurieta
1.565
Lepoeder
Altobiscar
Casa de
Guardiano
Barranco Txangoa
Menditxipi
N-135
Elizarra
Txangoa
Barranco de la Origa
Urculu
Pic de Léizar
Athéka
Puesto de Caza
Col d'Orgambide
Pic Urdanarre
A Estérencuby
Bois de Harchury
Pic d'Hostateguy
Pic de
Beillurti
Pic Itchachéguy
Camino de Arneguy
Pic d'Orisson
Bois d'Arloté
Valcarlos
Arneguy
ESPAÑA
FRANCIA
Las Ventas
Untto
Erreculuch
Errenabeltza
Petit Nive
Nive de Behérobie
Lasse
Saint-Jean-
Pied-de-Port
0
1 km

DER FRANZÖSISCHE WEG
ETAPPE 2. RONCESVALLES – LARRASOAÑA

Am Ausgang von **Roncesvals** (Roncesvalles) führt ein Pfad rechts von der Landstraße N-135 nach **Burguete** durch ein bewaldetes Gebiet (Buchen, Eichen, Ahorne, Haselsträucher, Stechpalme...). Nach 2km lässt man den Wald hinter sich und kommt zu zwei Hallen, wo man nach links abbiegen muss, um auf der Straße in das Dorf zu gelangen. Dort schwenkt der Weg auf der Höhe der Bank BSCH (Banco Santander Central Hispano) nach rechts ab und verlässt das Dorf. Nachdem man eine Schlucht des Flusses Urrobi überwunden hat, folgt man einer asphaltierten Piste, die zwischen Ställen hindurchführt und durch mehrere kleine Mauerdurchgänge, über Bäche, bebaute Felder, durch Buchenwälder und Wiesen führt um durch das Viertel von Santiago nach **Espinal** hineinzugelangen (km. 6,5). Nachdem man an einem Brunnen vorbeigegangen ist, verlässt man die Ortschaft, biegt nach links ab und beginnt durch Wiesen, Tannen- und Buchenwälder den Aufstieg auf den Alto de Mezquíriz. Der Weg schwenkt nach rechts und steigt zur Landstraße hinab um sie auf der Höhe der Stele der Heiligen Jungfrau von Roncesvals (Virgen de Roncesvalles) zu überqueren und dann weiterhin durch den Buchenwald hinabzusteigen. An einer Kurve (ca. am 8. km) gerät er von Neuem mit der Landstraße in Kontakt und dringt in einen Vegetationskorridor ein. An der Kreuzung kommt man wieder auf die Landstraße N-135 und nimmt die Piste, die nach **Viscarret** hineinführt, das schon im Errotal (Valle de Erro) liegt. Von da aus steigt ein mit Steinplatten belegter Weg zum Friedhof hinauf, den man verlässt, um einen von Eichen, Ahornen und Buchen gesäumten Pfad zu nehmen, der zur N-135 führt. Nachdem man sie überquert hat erscheint, diesmal rechts, **Linzoáin** (ungefähr 19 km.). Der Ausgang des Dorfes steigt über eine steinige Rampe bergan, die von Buchsbaum, Wacholder und Weißdorn gesäumt wird. Man geht durch noch mehr Wald zum Berg Alto de Erro. Und kurz nach einigen Steinplatten, die der »Rolandsschritt« genannt werden (Pasos de Roldán), überquert man die gepflasterte Straße, die zum Tal von Esteríbar hinabführt und kommt an der »Passschenke« (Venta del Puerto) vorbei. 1km danach ist Zubiri bereits in Sicht. Man lässt das Dickicht hinter sich und 500m weiter zeigt sich uns in **Zubiri** die Brücke Puente de la Rabia über den Fluss Arga. Ohne sie zu überqueren, steigt der Jakobsweg eine Straße hinauf und geht dann zwischen Eichen und Büschen an den Wiesen entlang, weiter. Man muss eine Piste in Richtung zur Magnesitfabrik nehmen, die in der Landstraße nach Osteriz mündet. Von hier geht eine parallele Piste aus, die man verlässt um eine Treppe hinunterzusteigen (km 23,6) und eine Talsohle zu durchwandern. Der Aufstieg erfolgt auf einem mit Steinplatten gepflasterten Weg unter den Kronen der Eichen, Nussbäume, Haselnusssträucher und Ahorne bis nach **Illaraz**. Über die Landstraße geht es dann bergab bis nach **Esquiroz**, wo man einen von Bäumen gesäumten Pfad nimmt. Nachdem man eine Tierfutterfabrik hinter sich gelassen und die Landstraße überquert hat, führt eine Piste auf der Brücke über den Fluss Arga nach **Larrasoaña** hinein.

RADFAHRER

Bis Espinal gibt es keine größeren Schwierigkeiten. Von da ab beginnen starke Höhenunterschiede, da man mehrere Pässe überwinden muss und es kann gefährliche Abstiege und unzugängliche Pfade geben. In diesem Fall wäre die Landstraße N-135 eine Möglichkeit.

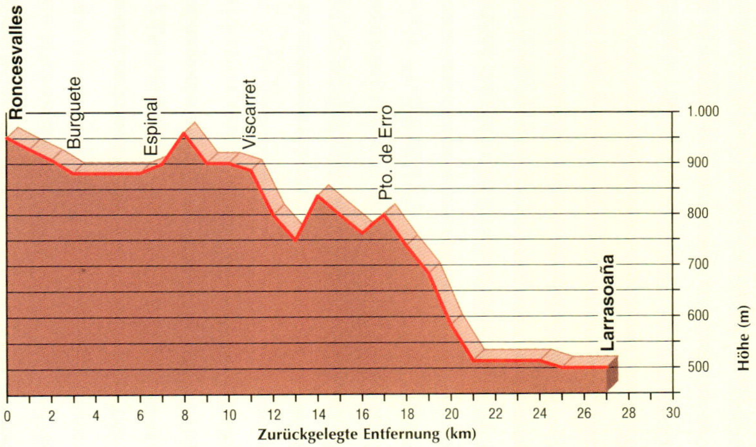

2

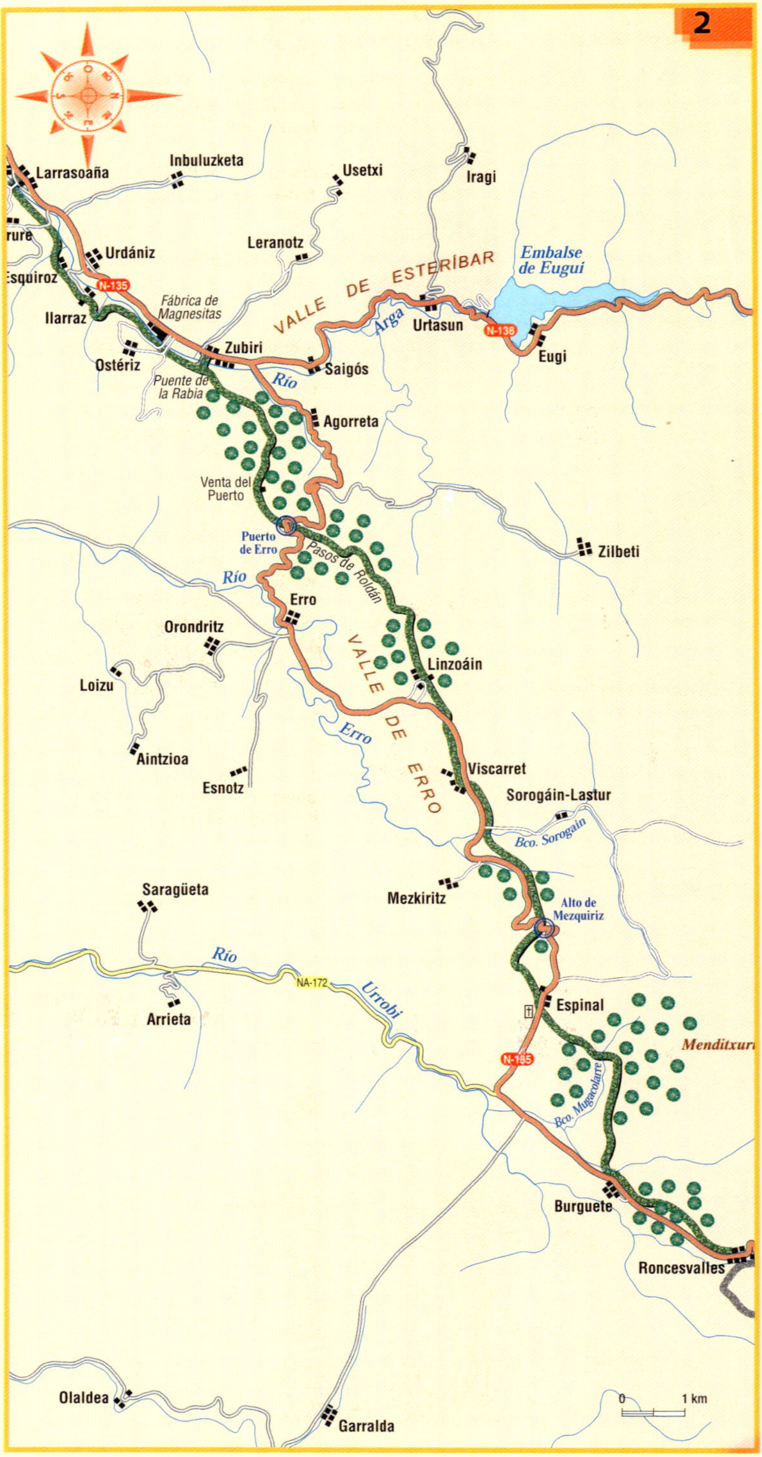

Larrasoaña
Inbuluzketa
Usetxi
Iragi
Embalse de Eugui
Leranotz
Urdániz
VALLE DE ESTERÍBAR
Esquiroz
N-135
Fábrica de Magnesitas
Ilarraz
Arga
Urtasun
N-138
Eugi
Zubiri
Ostériz
Saigós
Río
Puente de la Rabia
Agorreta
Venta del Puerto
Puerto de Erro
Pasos de Roldán
Zilbeti
Río
Erro
Orondritz
VALLE DE ERRO
Linzoáin
Loizu
Erro
Aintzioa
Esnotz
Viscarret
Sorogáin-Lastur
Bco. Sorogain
Mezkiritz
Alto de Mezquiriz
Saragüeta
Río
NA-172
Urrobi
Arrieta
Espinal
Menditxuri
N-135
Bco. Mugacolarre
Burguete
Roncesvalles
Olaldea
Garralda
0
1 km

DER FRANZÖSISCHE WEG
ETAPPE 4. PAMPLONA – PUENTE LA REINA

Von der Zitadelle aus kommt man durch die Straße Fuente del Hierro auf das Gelände der Universität. Man überquert den Fluss Sadar auf einer Fußgängerbrücke, von der aus man die Landstraße nach Campanas nimmt und an Äckern vorbei in Richtung einer Steinbrücke über den Fluss Elorz weiterzieht. Nachdem man sie überquert hat, verlässt man die Straße und nimmt eine Abzweigung rechts, die zu einigen privaten Grundstücken führt. Man verlässt auch diesen Zweig um die Zuggleise zu überqueren. Danach nimmt man einen Kiesweg, der parallel zur Straße verläuft und am Ende mit dieser zusammentrifft. Auf dem Bürgersteig, der von Pappeln beschattet wird, steigt man nach **Cizur Menor** hinauf, das man an der Kirche des Heiligen Erzengels Michael (San Miguel Arcángel) und am »frontón« (dem Spielplatz für das Baskische Ballspiel) vorbei, durchquert. Man verlässt das Dorf durch eine Wohnsiedlung aus Einfamilienhäusern, an der noch gebaut wird. Die Route verläuft zwischen Saatfeldern und einigen Häusern, und lässt rechts eine weitere Wohnsiedlung hinter sich. Wenn die Straße nach rechts abbiegt, geht der Jakobsweg geradeaus weiter, in Richtung Alto del Perdón und überquert die Landstraße nach Galar. Danach zieht man durch einen Pappelwald und überquert eine kleine Brücke über einem Bach, so dass man den Wald und eine kleine Talsperre links hinter sich lässt, während man rechts das Herrengut von **Guenduláin** sehen kann. Einen Kilometer weiter kommt man am Friedhof vorbei um nach **Zariquiegui** hinaufzusteigen, das auf den ersten Ausläufern des Alto liegt und das Becken von Pamplona hinter sich zu lassen. Wenn man das Dorf verlässt, beginnt ein harter Aufstieg durch ein Gebüsch aus Buchsbaum und Stechginster. Bevor man den Gipfel über die letzte Böschung erreicht, erscheint die Quelle Fuente de la Reniega. Oben, wo es einstmals ein Pilgerhospital und eine Basilika gab, erblickt man das Tal des Valdizarbe, während Pamplona und die Pyrenäen in unserem Rücken liegen. Nachdem man eine parallel zur Hauptstraße verlaufende Nebenstraße überquert hat, steigt man zwischen Zwergsteineichen ein äußerst steiniges Gelände hinunter. Wenn man weitergeht, überquert man auf einer kleinen Brücke einen Bach, der von Pappeln gesäumt wird. Rechts fließt der Bach Tejería zwischen den Äckern. Ein paar Steineichen wachsen kurz vor **Uterga**, das man auf einer Sandpiste verlässt, von der man rechts auf einem Feldweg abbiegt, auf dem man direkt nach **Muruzábal** hineinkommt. Von dort zieht man auf der Landstraße weiter, von der man rechts abzweigen muss, um zu einer Piste zu kommen. Auf ihr überquert man den Bach Tejería und wandert zwischen Weinbergen bis zu dem Hang weiter, über den man nach **Obanos** hinaufsteigt. Wenn man einmal dort ist, muss man zur Landstraße NA-601 hinabsteigen, auf der man zum aragonesischen Jakobsweg kommt (Camino Aragonés), sie nach links überqueren und durch Gemüse und Obstgärten weiterziehen bis man am Eingang von **Puente la Reina** zur Landstraße N-111 zurückkehrt.

RADFAHRER

Die größte Schwierigkeit dieser Etappe ist der Alto del Perdón, dessen Aufstieg unbefahrbar und dessen Abstieg wegen des steinigen Bodens unmöglich ist. Es bleibt die Möglichkeit auf der Landstraße N-111 zu fahren und am km. 15 die Abzweigung nach Uterga zu nehmen, von wo aus man wieder dem Verlauf des Jakobsweges folgen kann.

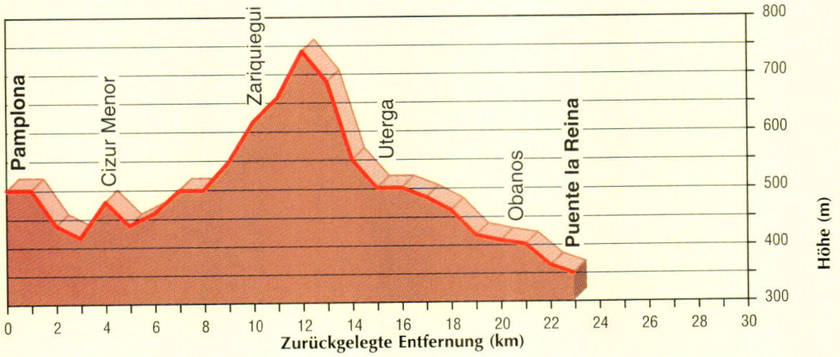

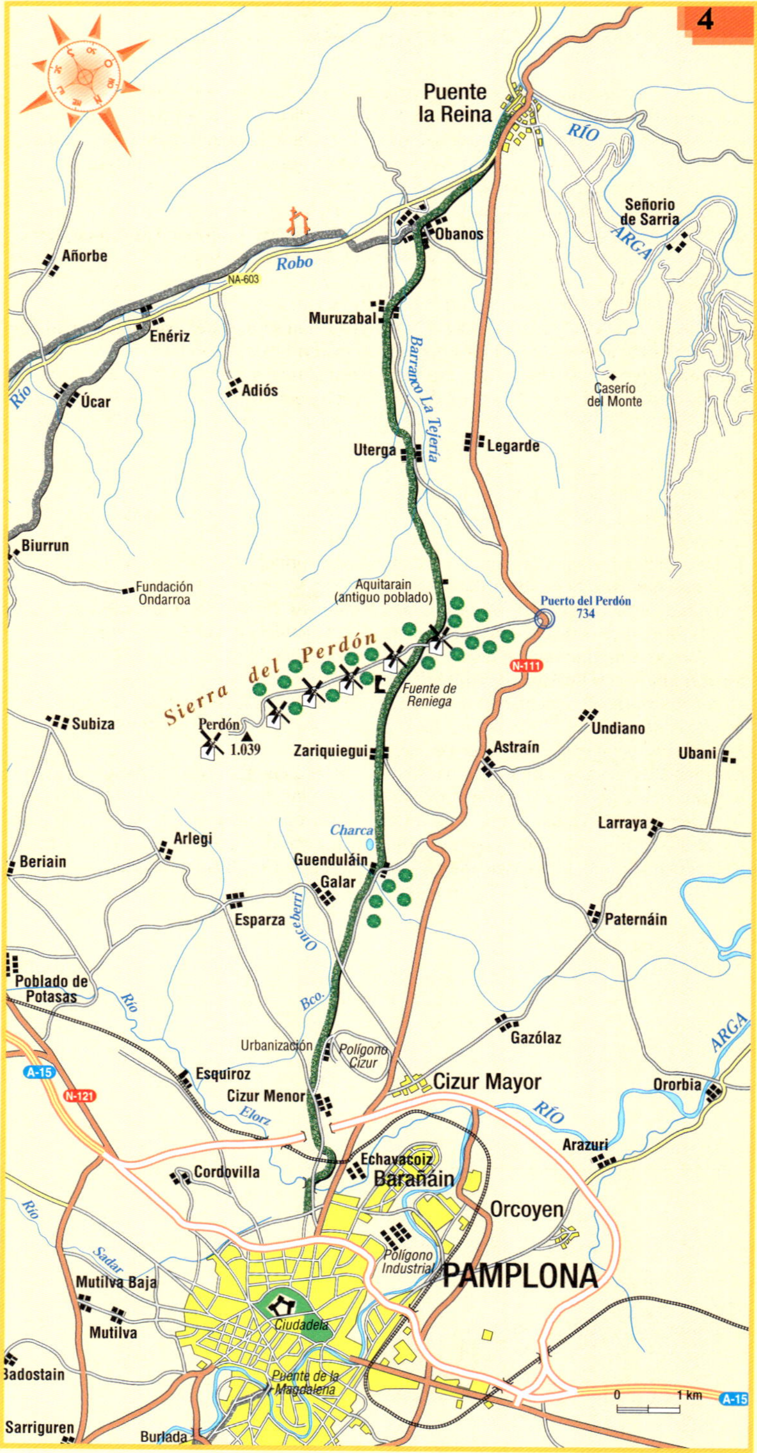
4
Puente la Reina
RÍO
Señorio de Sarria
ARGA
Obanos
Añorbe
Robo
NA-603
Muruzabal
Enériz
Barranco La Tejería
Río
Úcar
Adiós
Caserío del Monte
Uterga
Legarde
Biurrun
Fundación Ondarroa
Aquitarain (antiguo poblado)
Puerto del Perdón 734
Sierra del Perdón
N-111
Fuente de Reniega
Subiza
Perdón
1.039
Zariquiegui
Astraín
Undiano
Ubani
Larraya
Charca
Arlegi
Beriain
Guenduláin
Galar
Esparza
Onceberri
Paternáin
Poblado de Potasas
Río
Bco.
Gazólaz
ARGA
Urbanización
Polígono Cizur
A-15
Esquíroz
Cizur Mayor
N-121
Cizur Menor
Ororbia
Elorz
RÍO
Arazuri
Echavacoiz
Cordovilla
Barañáin
Río
Orcoyen
Sadar
Polígono Industrial
PAMPLONA
Mutilva Baja
Ciudadela
Mutilva
Badostain
Puente de la Magdalena
0
1 km
A-15
Sarriguren
Burlada

DER FRANZÖSISCHE WEG
ETAPPE 5. PUENTE LA REINA – ESTELLA

Über die Hauptstraße (Calle Mayor) kommt der Weg an eine große mittelalterliche Brücke. Wenn man sie überquert hat, muss man nach links abbiegen, die Landstraße überqueren und eine Abzweigung nehmen, die zwischen einem Kloster und anderen Gebäuden verläuft. Die Piste führt über die Äcker, zwischen dem Arga, dem sie sich manchmal nähert, und der Landstraße. Nach 2,5km biegt man nach rechts ab (man lässt eine Kläranlage hinter sich) und steigt durch einer Pflanzung von Pinienbäumen und Büschen hinauf. Wenn man dann auf einen Weg gelangt, findet man die Siedlung Bargota angezeigt (die bis ins XI. Jahrhundert bewohnt war, eine Komturei der Tempelritter und später ein Hospital der Johanniter war). Eine kleine Strecke lang, wandert man im Schatten von Scheinakazien und Götterbäumen. Bis **Mañeru** zieht man an der Landstraße entlang, durch eine Kulturlandschaft aus Äckern und Weingärten. Zum Dorf steigt man auf einer Piste hinab. Einmal dort, kommt man durch die Straße Forzosa zum Friedhof. Die Landschaft ist bis **Cirauqui**, das auf einem kleinen Vorgebirge liegt, ungefähr gleich. Man tritt durch das Tor Puerta del Arco, geht seine Straßen hinauf und verlässt es über eine Römerstraße, die von Zypressen gesäumt wird und zu einer römischen Brücke über den Bach Iguste führt. Danach muss man die Landstraße N-111 überqueren und weiter in Richtung des Tales des Flusses Salado ziehen (auf einer kleinen Brücke überwindet man einen Steilhang). Die Römerstraße geht zwischen Gebüsch und Äckern weiter und kommt am Grundstück des alten Urbe vorbei. Man geht weiter bergab bis zur Landstraße, nimmt die Abzweigung nach Alloz bis zu einem Aquädukt und einer alten Mühle, wo man wieder in Richtung der Brücke über den Fluss Salado abzweigen muss. Ein Tunel unter der Hauptstraße führt zu einem Stück der alten Straße. Von dort aus sieht man **Lorca**, wohin man hinaufsteigen muss. Einmal in Lorca, überquert man den Hauptplatz (Plaza Mayor) und kommt zu einem Waschplatz, um nachher an Gemüsegärten vorbei, erst auf der Landstraße N-111 und danach parallel zu ihr, weiterzuziehen. Man wandert über verschiedene Wege, bis man durch einen Tunnel unter der Landstraße nach Estella hindurchgeht und zwischen Gemüsegärten und Obstbäumen nach **Villatuerta** kommt. Innerhalb der Ortschaft überquert man den Fluss Iranzu und verlässt dann das Dorf über die Straße Monasterio de Irache in Richtung der Kapelle des Heiligen Michael (Ermita de San Miguel). Man überquert die Straße nach Oteiza und nimmt dann rechts einen Pfad, der zu der Fußgängerbrücke über den Ega führt. Von da aus führt der Weg nach Ordoiz zwischen Gemüsegärten und Fabriken nach **Estella**.

RADFAHRER

Die Strecke auf der Römerstraße von **Cirauqui** aus über das Grundstück von Urbe bietet Schwierigkeiten. Man muss auch zu bestimmten Jahreszeiten, den Zustand der Wege beachten. Eine Alternative wäre die N-111, die Puente la Reina mit Estella verbindet.

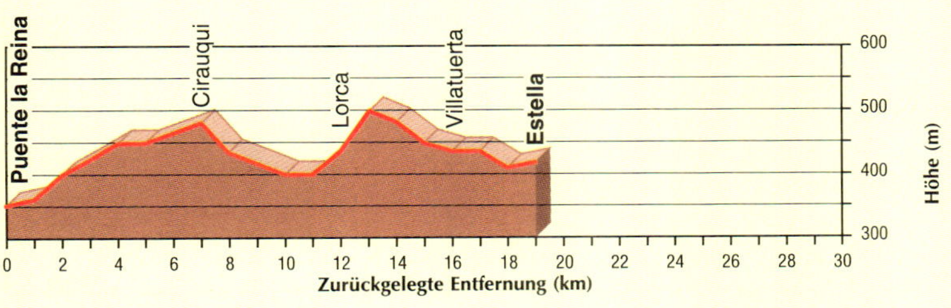

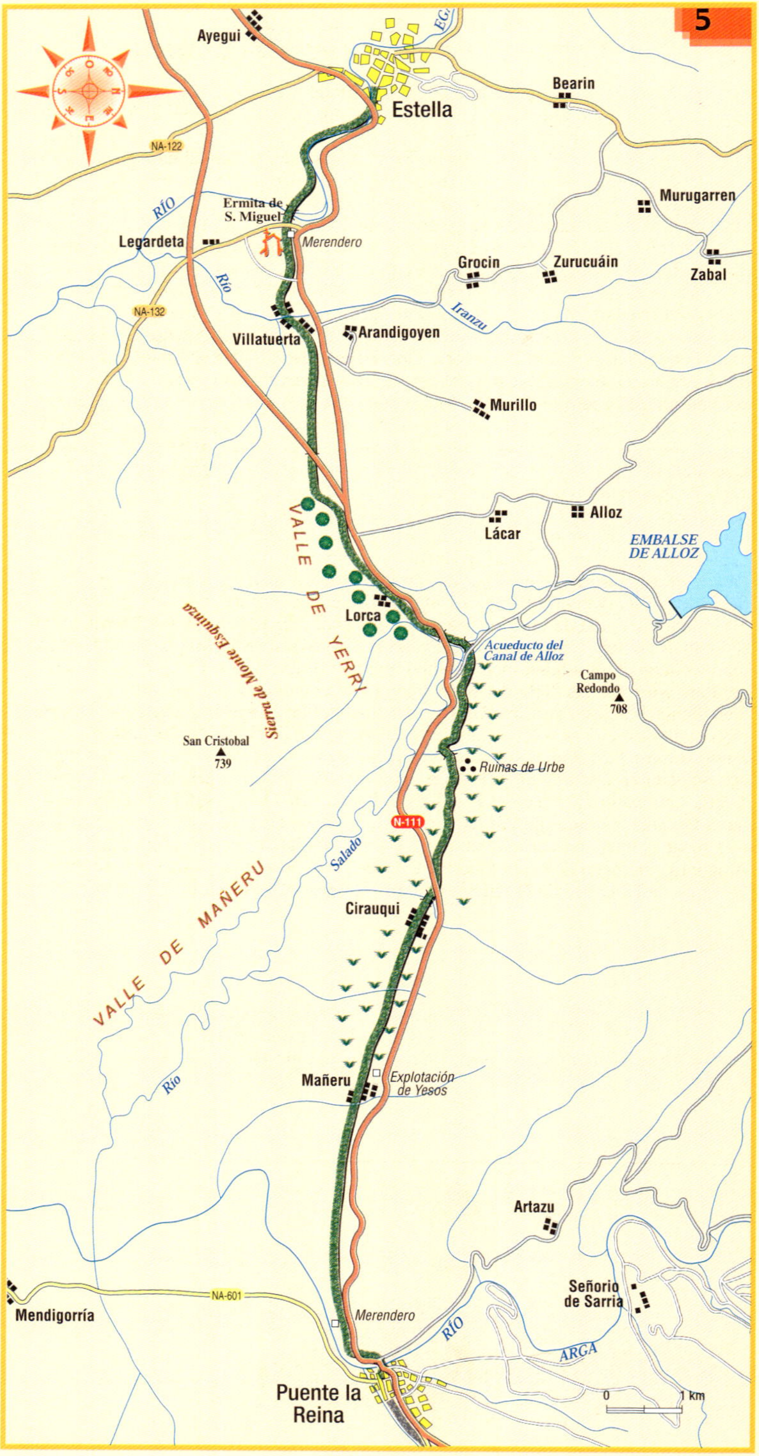

5
Ayegui
Estella
Bearin
NA-122
Murugarren
Ermita de S. Miguel
RÍO
Legardeta
Merendero
Grocin
Zurucuáin
Zabal
Río
NA-132
Iranzu
Villatuerta
Arandigoyen
Murillo
Alloz
Lácar
EMBALSE DE ALLOZ
VALLE DE YERRI
Lorca
Sierra de Monte Esquinza
Acueducto del Canal de Alloz
Campo Redondo
708
San Cristobal
739
Ruinas de Urbe
N-111
Salado
VALLE DE MAÑERU
Cirauqui
Río
Mañeru
Explotación de Yesos
Artazu
Señorio de Sarria
Mendigorría
NA-601
Merendero
RÍO
ARGA
Puente la Reina
0
1 km

DER FRANZÖSISCHE WEG
ETAPPE 6. ESTELLA – LOS ARCOS

Über die Straßen Rúa, San Nicolás und Camino de Logroño kommt unsere Route auf die Landstraße N-111 und auf der Höhe der zweiten Tankstelle verlässt sie **Estella** nach rechts (zwischen Industriehallen hindurch) über den Weg nach Ayegui. Einmal in **Ayegui**:

A) Wenn man einen kleinen Umweg machen möchte, um das Kloster Nuestra Señora la Real de Irache zu besuchen, muss man die Landstraße überqueren. Im Rücken des Klosters erhebt sich der Berg Montejurra. Man kommt am »Weinbrunnen« des Weinkellers vorbei, und nachdem man das Kloster besucht hat, durchquert man die Gärten bevor man zur Landstraße N-111 zurückkehrt, um sie von Neuem zu überqueren.

B) Man geht auf der Landstraße N-111 weiter.
Auf der Höhe eines Hotels treffen beide Routen zusammen, um in Richtung Azqueta weiterzuführen. Nach einem Tunnel, der unter der Umgehungsstraße hindurchführt, führt der Pfad in einen Steineichenwald, und danach wandert man über Äcker und durch eine kleinen Pinienhain bis zu dem Hügel auf dem **Azqueta** liegt (km.5). Wenn man von dort hinabsteigt, kommt man an einer Rinderhaltung und an einem kleinen Bach vorbei. Und zwischen Weingärten und Kornfeldern, mit dem Hügel von Monjardín in Sicht, nähert sich der Jakobsweg der »Fuente de los Moros« (einer mittelalterlichen Zisterne), die vor **Villamayor de Monjardín** liegt. Von dieser Ortschaft aus nimmt man eine Piste, die zu den Weinkellern führt, aber bevor man dorthin kommt, nimmt man einen von Walnussbäumen gesäumten Weg, der zwischen Weingärten verläuft und die Kreisstraße überquert. Von hier aus führt der Jakobsweg 12km über eine Flurbereinigungspiste, und durchzieht ein welliges Terrain inmitten einer Landschaft von Weingärten, Olivenhainen und Kornfeldern am Rande von mit Pinien bewaldeten Anhöhen. Man überquert mehrere Steilhänge, an denen der Tamarisken wachen. Ab dem km. 18,5 erscheint vor uns die längliche Anhöhe von Cogoticos de la Raicilla, zu der man über einen Bergrücken ansteigt (Portillo de las Cabras). Beim Abstieg sehen wir unser Ziel, **Los Arcos**, an dem man1km später ankommt.

RADFAHRER

Wenn es nicht regnet und die Wege nicht voll Schlamm sind, ist es eine annehmbare Etappe. Auf alle Fälle verbindet die N-111 Estella mit Los Arcos.

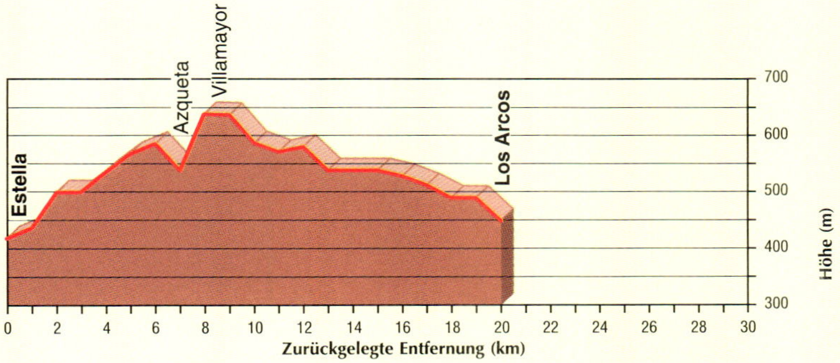

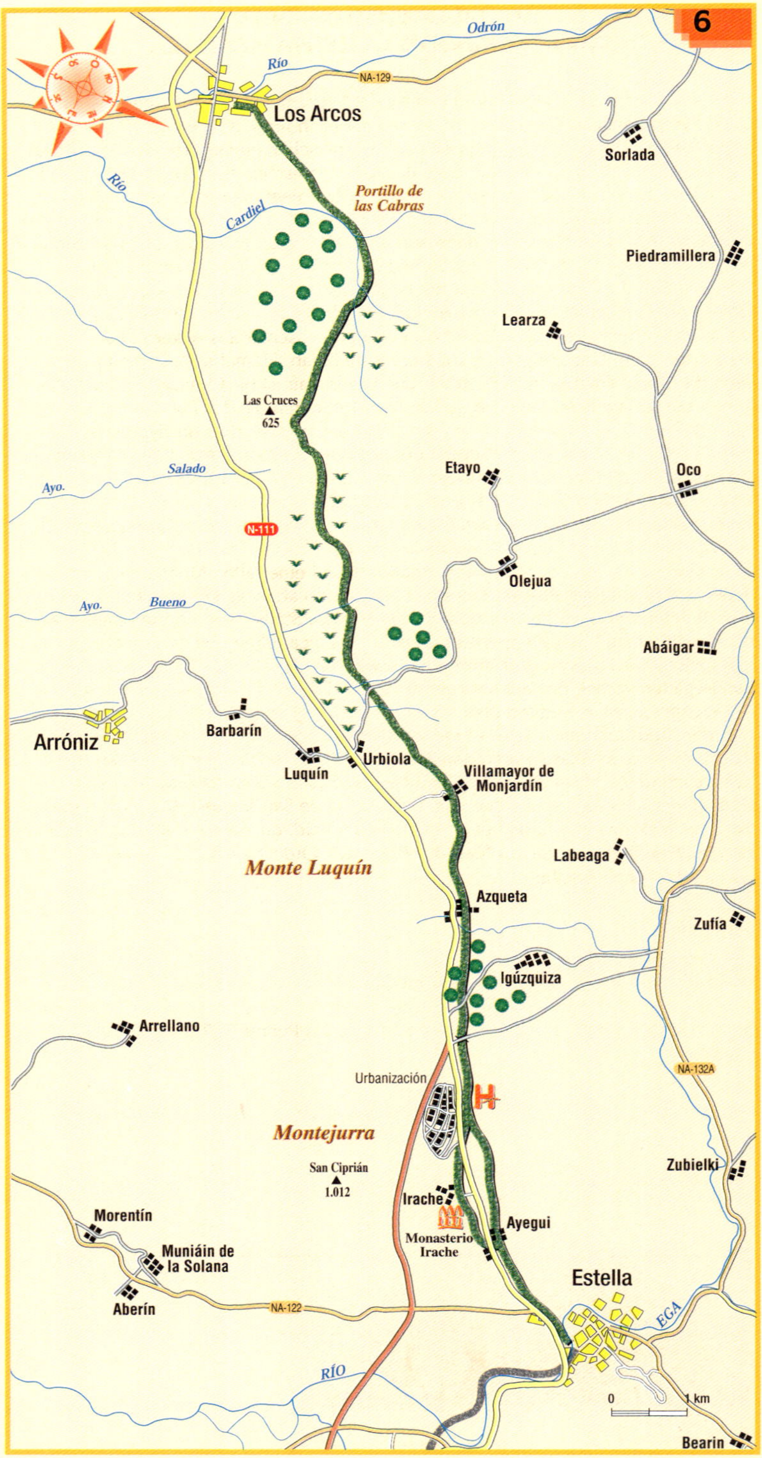
6
Río Odrón
NA-129
Los Arcos
Sorlada
Río Cardiel
Portillo de las Cabras
Piedramillera
Learza
Las Cruces
625
Ayo. Salado
Etayo
Oco
N-111
Olejua
Ayo. Bueno
Abáigar
Arróniz
Barbarín
Luquín
Urbiola
Villamayor de Monjardín
Labeaga
Monte Luquín
Azqueta
Zufía
Igúzquiza
Arrellano
NA-132A
Urbanización
Montejurra
San Ciprián
1.012
Zubielki
Irache
Monasterio Irache
Ayegui
Morentín
Muniáin de la Solana
Aberín
Estella
NA-122
EGA
RÍO
0
1 km
Bearin

DER FRANZÖSISCHE WEG
ETAPPE 7. LOS ARCOS – LOGROÑO

Der Jakobsweg geht vom Kastilienbogen aus (Arco de Castilla). Am Ausgang von Los Arcos nimmt man eine Piste, die den Fluss Odrón überquert und am Friedhof vorbei in Richtung Sansol führt, das vor uns erscheint. Die Landstraße N-111 verläuft immer links von uns inmitten der Äcker. Bevor man über die Kreisstraße nach der Ortschaft **Sansol** hinaufsteigt, überquert man den Bach San Pedro. Wenn man einmal in dieser Ortschaft ist, kann man ganz nahe auf dem gegenüberliegenden Hang **Torres del Río** sehen, wohin man kommt nachdem man die Schlucht hinabgestiegen ist, durch einen Tunnel, der unter der Straße nach Lazagurría hinduchführt, gegangen ist und den Fluss Linares überquert hat. Einmal im Dorf selbst, kommt man an der Kirche des Heiligen Grabes (Santo Sepulcro) vorbei und nimmt den Weg zum Friedhof. Man steigt auf eine kleine Anhöhe in der Nähe der N-111 und geht parallel zu ihr weiter, um sie wenig später zu überqueren und, nachdem man durch einen kleinen Pinienwald gewandert ist, zu der Kapelle Nuestra Señora del Poyo zu kommen. Wenig später verlässt man die Straße und biegt nach links ab, auf der Höhe eines Steilhanges um nach einer Kurve die Straße nach rechts zu überqueren, wo man einen Weg nimmt, der ansteigt und die Landstraße nach Bargota überquert. Vor uns sehen wir Viana und Logroño. Man steigt wieder hinab, dieses Mal durch die Schlucht von Mataburros, die man durchquert (Siedlung Cornava) um nachher geradeaus bergauf und bergab weiterzugehen, bis man die Straße überquert, um eine weitere Kurve zu vermeiden. Bis **Viana** wechselt der Weg zwischen Seitenstreifen und Pfad. Auf der Höhe der Ruine eines Hauses mit einer Palme kreuzt man nach rechts, um in die Ortschaft zu kommen, die man über die Straße von San Miguel verlässt. Man steigt immer bergab, überquert eine Landstraße und geht die Straßen La Rueda und Fuente Vieja hinunter, an einer Schule vorbei, zwischen Gärten und Häusern, bis man zur Landstraße N-111 kommt, nachdem man die Landstraße nach Moreda überquert hat. Man nimmt links eine Piste in Richtung zur Lagune von las Cañas. Wenn man zur Kapelle von Nuestra Señora de las Cuevas kommt, nimmt man rechts einen Weg, der zur Landstraße führt. Man wandert durch einen Pinienwald, überquert die N-111 und geht durch Pinienhaine weiter, bis man vor einer Papierfabrik steht. Dort beginnt eine asphaltierte Piste. Nach drei Tunnels, die unter der Umgehungsstraße hindurchführen, steigt man auf den Hügel Cantabria, der mit Olivenbäumen und Weinstöcken bedeckt ist. Beim Abstieg kommt man an den Gärten und Häusern des Stadtrandes von Logroño vorbei. Bevor man die Stadt erreicht, lässt man den Friedhof hinter sich, um sich in Richtung der Steinbrücke zu begeben, die nach **Logroño** hineinführt.

RADFAHRER

Der Weg ist fahrbar. Dennoch kann wer den Asphalt der Landstraße vorzieht, die N-111 nehmen.

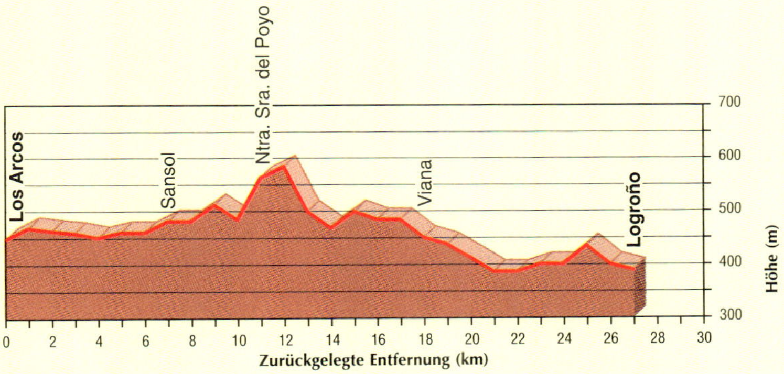

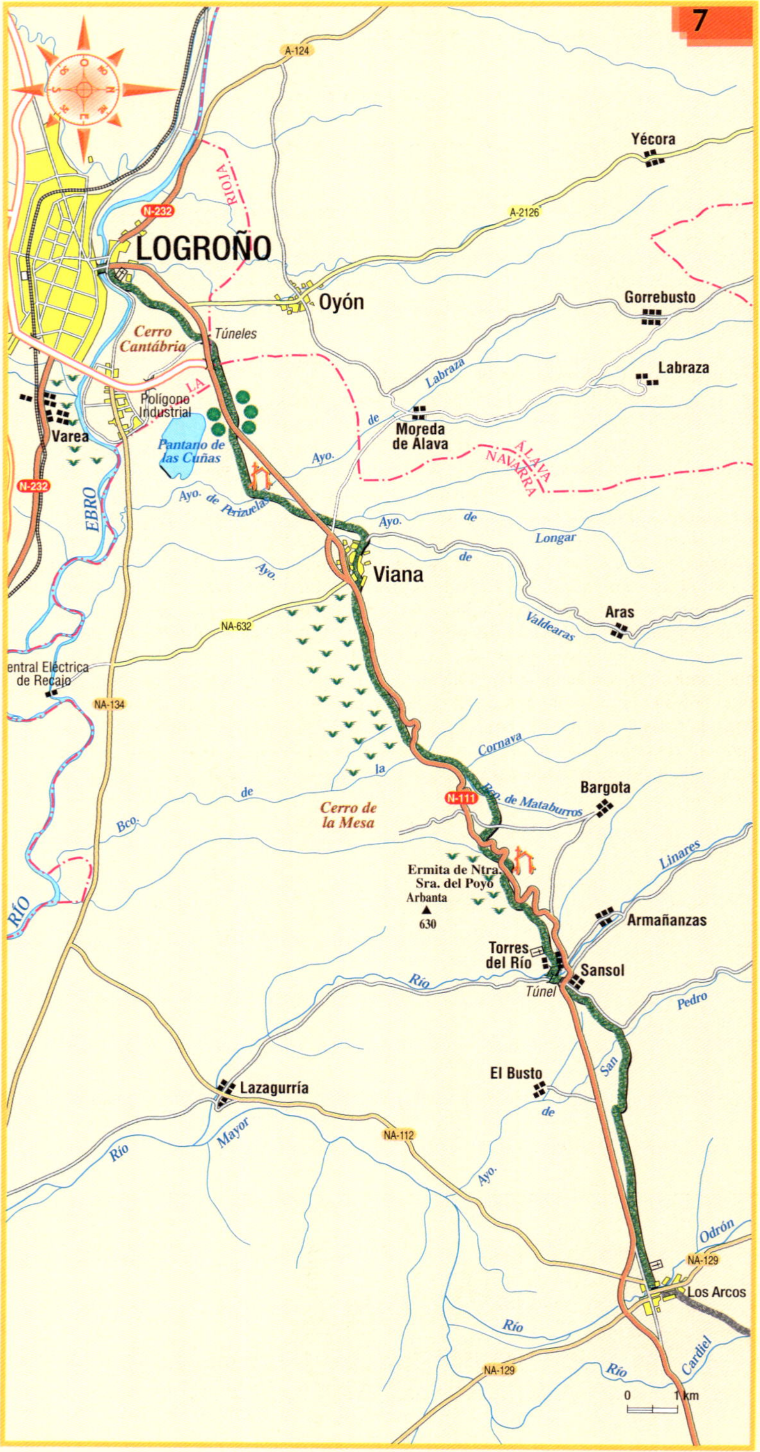

LOGROÑO
Oyón
Yécora
Gorrebusto
Labraza
Moreda de Álava
Varea
Polígono Industrial
Pantano de las Cuñas
Cerro Cantábria
Túneles
Viana
Aras
Bargota
Armañanzas
Torres del Río
Sansol
Túnel
El Busto
Lazagurría
Los Arcos
Cerro de la Mesa
Ermita de Ntra. Sra. del Poyo
Arbanta
630
entral Eléctrica de Recajo
RIOJA
LA
ÁLAVA
NAVARRA
EBRO
Río
A-124
N-232
A-2126
N-111
NA-632
NA-134
NA-112
NA-129
Ayo. de Labraza
Ayo. de Perizuelas
Ayo. de Longar
Ayo. de Valdearas
Bco. de la Cornava
Bco. de Mataburros
Río Linares
Río San Pedro
Ayo. de San
Río Mayor
Río Odrón
Río Cardiel
0
1 km

DER FRANZÖSISCHE WEG
ETAPPE 8. LOGROÑO – NÁJERA

Um **Logroño** zu verlassen geht man über die Rúa Vieja und die Straße Barriocepo; man tritt durch das Tor von Revellín oder »Jakobswegtor« (Puerta del Camino) und geht über die Straße Once de Junio weiter, über den Platz Alférez Provisional, die Straßen Marqués de Murrieta und Burgos und durch die Industrieanlage. Wenn man an eine Tankstelle kommt, muss man nach links durch die Straßen Entrena und Rodejón gehen und weiter durch die Straßen Prado Viejo und Arco. Man steigt in einen Tunnel hinunter, um unter der Umgehungsstraße hindurchzugehen, und an seinem Ausgang finden wir einen als Allee ausgebauten Weg, der von ornamentalen Bäumen gesäumt wird (Paradiesbäumen, Mimosen, Pappeln, Zypressen usw.) der uns zur Talsperre la Grajera führt, die etwa fünf Kilometer von der Stadt entfernt ist. Dort gibt es in einem Pinienwald einen Rastplatz. Man verlässt die Talsperre links in Richtung Landstraße N-232. Der Weg läuft parallel zur Straße weiter, und erreicht den Hügel Alto de la Grajera, wo die N-232 mit der N-120 zusammentrifft. Von da geht es nach **Navarrete** hinunter. Nach etwas weniger als einem Kilometer überquert man die N-120 und eine parallel zu ihr verlaufende Nebenstraße. Über Acker geht man bis zur Brücke über der Autobahn A-68 weiter, die bis zum Eingang des Städchens führt, wo die Überreste des Hospitals des Heiligen Johannes von Akko (San Juan de Acre) liegen. Man verlässt diese Ortschaft auf der Landstraße N-120 und kommt am Friedhof vorbei, dessen Portal aus dem XIII. Jahrhundert zum erwähnten Hospital gehörte. Wenn man zu einem Grundstück kommt, besteht die Möglichkeit, die Straße zu verlassen, wenn man so möchte (in jedem Fall werden wir unter dem Mangel an Bäumen leiden) indem man auf einen Feldweg abschwenkt und zwischen Weingärten, Olivenbäumen und Kornfeldern hindurchzieht. Wenn man zur Weinbaugenossenschaft von Sotés kommt, überquert man die Landstraße, die zu dieser Ortschaft führt, um über einen asphaltierten Weg zur N-120 zurückzukehren. Nach einer Strecke an dieser Straße entlang, kann man einen Umweg nach **Ventosa** machen, das wenig mehr als einen Kilometer entfernt ist und wo es eine Herberge gibt oder direkt zum Alto de San Antón weiterziehen. Nachdem man bis zu einer gewissen Höhe zwischen Weinstöcken, Gebüsch und Steineichen gestiegen ist, muss man wieder hinuntersteigen um nach rechts die N-120 zu überqueren. Einen Kilometer weiter erscheint der legendäre *Rolandsitz* (*Poyo de Roldán*), der leider von einer Antenne gekrönt ist und den man links zurücklässt. Zwei Kilometer weiter überquert man die Straße nach Huércanos. Man umgeht die Kieshalde, um den Fluss Yalde auf einem Steg zu überqueren. Wenig später finden wir einen Rastplatz bei einer Fabrik. Hinter ein paar Gemüsegärten und nachdem man von Neuem die N-120 überquert hat, kommt man nach **Nájera.**

RADFAHRER

Praktisch der gesamte Weg ist gut befahrbar, ohne dass es nötig wäre auf der Landstraße zu fahren (die N-120), wenngleich es auf dem Alto de San Antón einige Schwierigkeiten gibt.

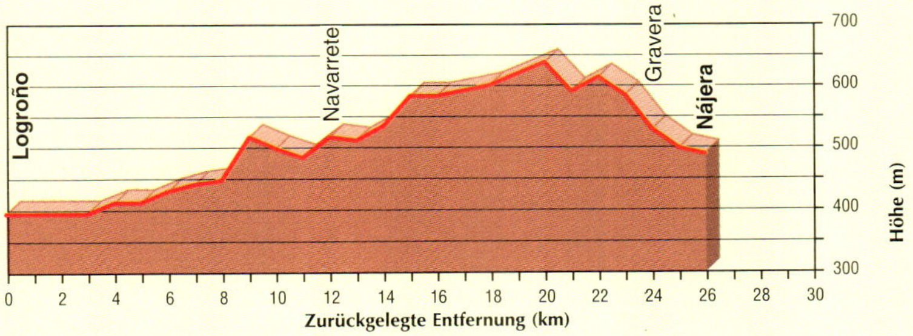

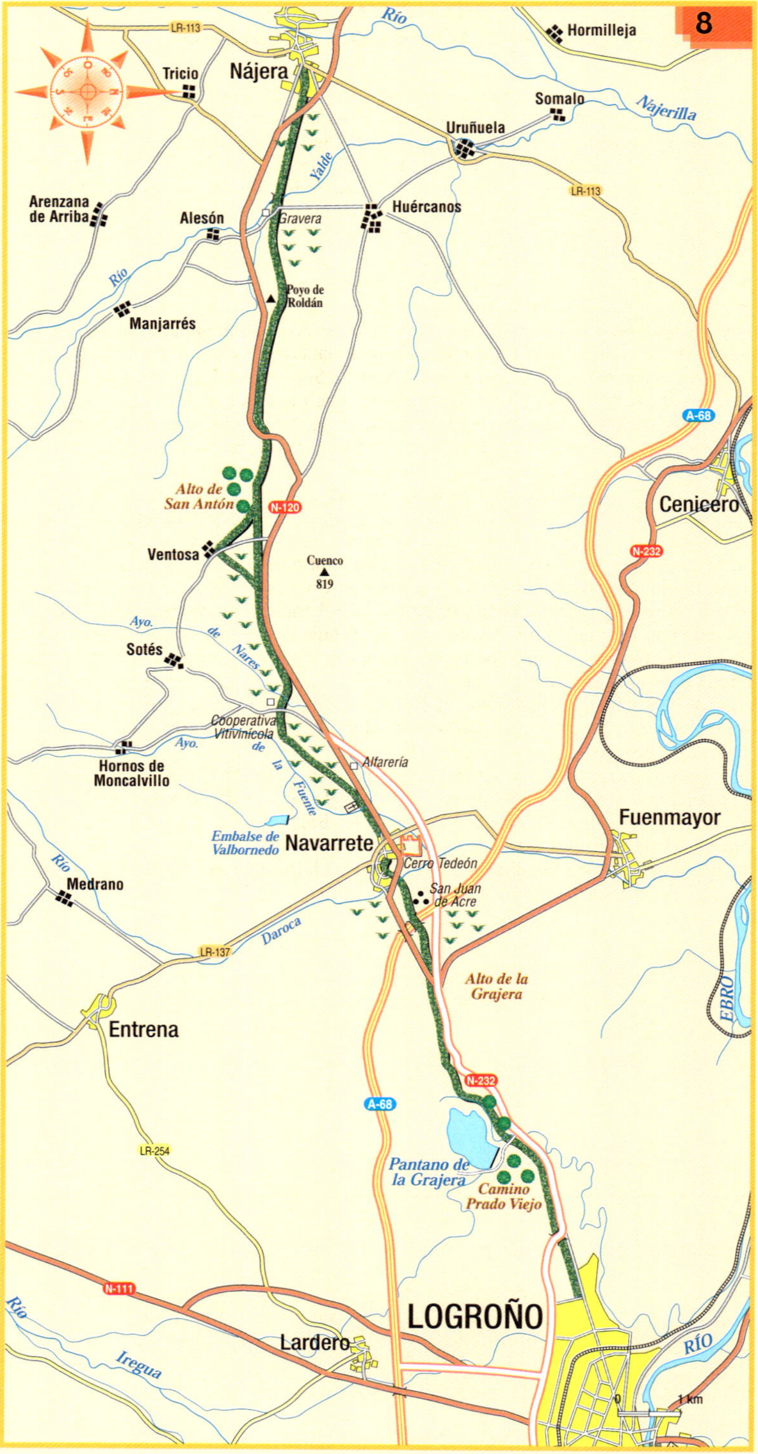

8
LR-113
Río
Hormilleja
Tricio
Nájera
Somalo
Najerilla
Uruñuela
Yalde
LR-113
Arenzana de Arriba
Alesón
Gravera
Huércanos
Río
Poyo de Roldán
Manjarrés
A-68
Alto de San Antón
N-120
Cenicero
Ventosa
Cuenco 819
N-232
Ayo.
de Nares
Sotés
Cooperativa Vitivinícola
Ayo. de la Fuente
Alfarería
Hornos de Moncalvillo
Fuenmayor
Embalse de Valbornedo
Navarrete
Cerro Tedeón
Río
Medrano
San Juan de Acre
Daroca
LR-137
Alto de la Grajera
Entrena
EBRO
N-232
A-68
LR-254
Pantano de la Grajera
Camino Prado Viejo
N-111
LOGROÑO
Río
Iregua
Lardero
RÍO
0
1 km

DER FRANZÖSISCHE WEG
ETAPPE 9. NÁJERA – SANTO DOMINGO DE LA CALZADA

Man verlässt **Nájera** über die Straßen Rey Don García und Costanilla und steigt inmitten eines Pinienwaldes einen steilen Hang hinauf. Von dort aus gelangt man an eine Ebene, die mit Weinstöcken bebaut ist und über die ein Feldweg führt, der nach 3,5 Kilometern zum Asphaltweg wird. Von hier sichtet man Azofra, wohin wir uns richten müssen (sowie Cordovín, das links davon liegt). Zwischen Bewässerungsanbaufeldern kommt der Jakobsweg nach **Azofra**, das er auf seiner Hauptstraße und der Straße Virgen de Valvanera durchquert, um es rechts am »Pilgerbrunnen« (Fuente de los Romeros) vorbei zu verlassen, die Landstraße, die nach San Millán de la Cogolla führt zu überqueren (das 20 km entfernt liegt) und über Alesanco und das Kloster Cañas zu ziehen. Man geht geradeaus auf einem Sandweg weiter (ein Wegkreuz zeigt die Grenze zwischen Azofra und Alesanco an). Eine Strecke lang verläuft der Weg parallel zur Landstraße N-120, auf der man weiter bis nach Santo Domingo gehen kann. Aber es ist reizvoller sich von der Landstraße zu entfernen und nach Cirueña zu wandern. Dazu steigt man durch dichte Vegetation hindurch auf eine Hochebene, auf der ein Golfplatz auftaucht, der inmitten eines Steineichenhains äußerst künstlich wirkt. Rechts erkennt man Ciruñuela. Und wenig später kommt man durch **Cirueña**. Von da ab bis Santo Domingo führt die Piste durch ein Terrain mit großen Höhenunterschieden (Alto de Matacón). Von einem Hügel aus erreicht unser Blick die Ausläufer der Sierra de la Demanda im Süden und der Sierra de Cantabria im Norden, während sich vor uns Santo Domingo de la Calzada zeigt, wohin man geradeaus hinabsteigt. Nach **Santo Domingo de la Calzada** geht man zwischen ein paar Hallen hindurch hinein. Danach muss man auf dem Bürgersteig, die Landstraße entlanggehen um auf die Straße Doce de Mayo zu kommen.

RADFAHRER

Diese Etappe bietet keine Schwierigkeiten.

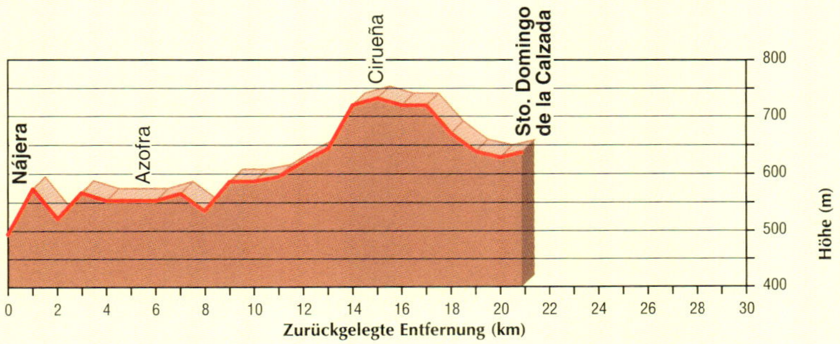

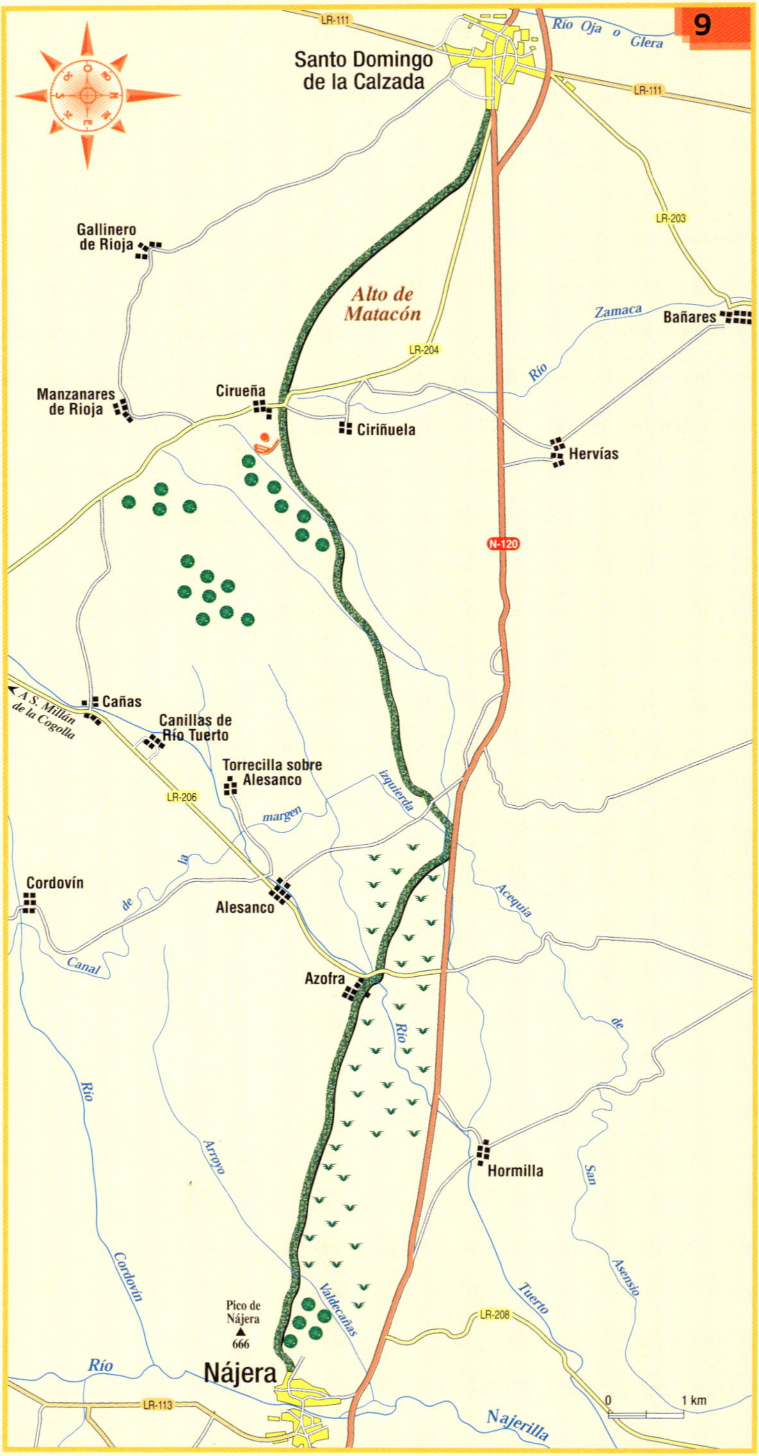
9
Santo Domingo de la Calzada
Río Oja o Glera
LR-111
LR-111
LR-203
Gallinero de Rioja
Alto de Matacón
Zamaca
Bañares
LR-204
Río
Manzanares de Rioja
Cirueña
Ciriñuela
Hervías
N-120
Cañas
A S. Millán de la Cogolla
Canillas de Río Tuerto
Torrecilla sobre Alesanco
LR-206
izquierda
margen
la
Acequia
Cordovín
de
Alesanco
Canal
Azofra
de
Río
Río
San
Arroyo
Hormilla
Cordovín
Asensio
Valdecañas
Tuerto
LR-208
Pico de Nájera
666
Río
Nájera
LR-113
0
1 km
Najerilla

DER FRANZÖSISCHE WEG
ETAPPE 10. SANTO DOMINGO DE LA CALZADA – BELORADO

In **Santo Domingo De La Calzada** führt der Jakobsweg von der Hauptstraße (Calle Mayor) und der Straße Palomarejos aus zur N-120. Nachdem man die Brücke über den Fluss Oja überquert hat, die der Heilige Domingo selbst gebaut hat, nimmt man links einen von Scheinakazien beschatteten Pfad, an dessen einer Seite die Straße liegt, während sich auf der anderen Kornfelder erstrecken. Der Weg führt leicht bergauf bis zum *Kreuz der Tapferen* (*Cruz de los Valientes*, etwa 3km.), das auf der Höhe der Kreuzung mit der Umgehungsstraße liegt. Nach 5km. steht der Pilger vor zwei Möglichkeiten: auf der Landstraße nach Grañón weiterzugehen, womit die Entfernung 1,9km wäre, oder auf dem Weg weiterzuziehen, was 3,2km. bedeutet.

Wenn man diese letzte Alternative wählt, kommt man nach **Grañón** hinein, nachdem man am Friedhof vorbei gegangen ist und die Straße, die nach Morales führt, überquert hat. Man muss weiter über die Straßen Mayor und Cercas, um wieder aus dem Dorf herauszukommen, indem man eine Rampe hinabsteigt. Wenn man am letzten Gebäude angelangt ist, biegt man nach links und nimmt einen Feldweg, der nach rechts abschwenkt, um den Fluss Villar zu überqueren. Man muss in Richtung der Grenze zwischen La Rioja und Burgos ziehen, die etwa 2km entfernt liegt und von der aus man auf der anderen Seite der Straße den Fluss Relánchigo erblickt und gegenüber Redecilla und Castildelgado, mit den Bergen von Oca im Hintergrund, in der Ferne. Wenig später, weniger als 2km, gelangt man nach **Redecilla**, nachdem man an einem Informationsstand des Jakobsweges vorbeigekommen und auf die linke Seite der Landstraße gegangen ist. Man geht weiter durch die Straße El Cristo und die Calle Mayor, an der Kirche vorbei und steigt wieder zur Landstraße hinab, auf der man den Fluss Reláchigo überquert und auf einem parallelen Weg nach **Castildelgado** weiterwandert. Hinter dieser Ortschaft und nach etwas mehr als 500m, gibt es eine Abzweigung nach **Viloria de Rioja**, dem Geburtsort des Heiligen Domingo de la Calzada, den man über die Straße Bajera verlässt, um über die Landstraße N-120 nach **Villamayor** hinabzusteigen. Dort nimmt man die Hauptstraße (Calle Mayor) um wieder auf den Jakobsweg zu kommen. Man muss 5km weitergehen, um unser Ziel zu erreichen. Am Eingang von **Belorado** kann man die Straße vermeiden und auf einem Pfad rechts von ihr weiterwandern, der die hässlichen Industriehallen vermeidet und der an einem mit Nadelbäumen bedeckten Hügel entlang, bis zur Kirche der Heiligen Maria (Iglesia de Santa Maria) und ihrer Herberge führt.

RADFAHRER

Auf dieser Etappe gibt es keine großen Schwierigkeiten, obwohl von Grañón bis Belorado der Weg nicht asphaltiert ist.

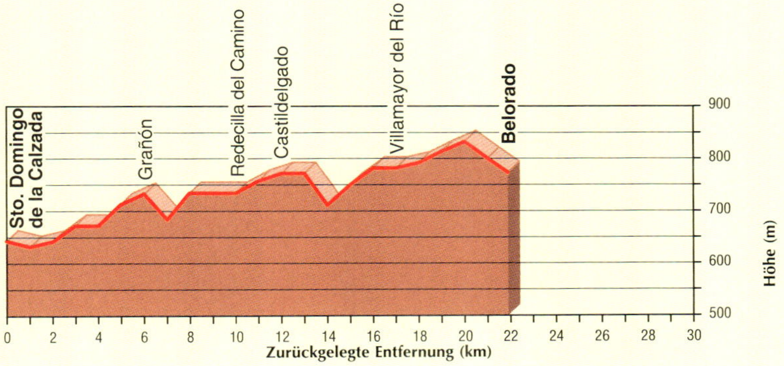

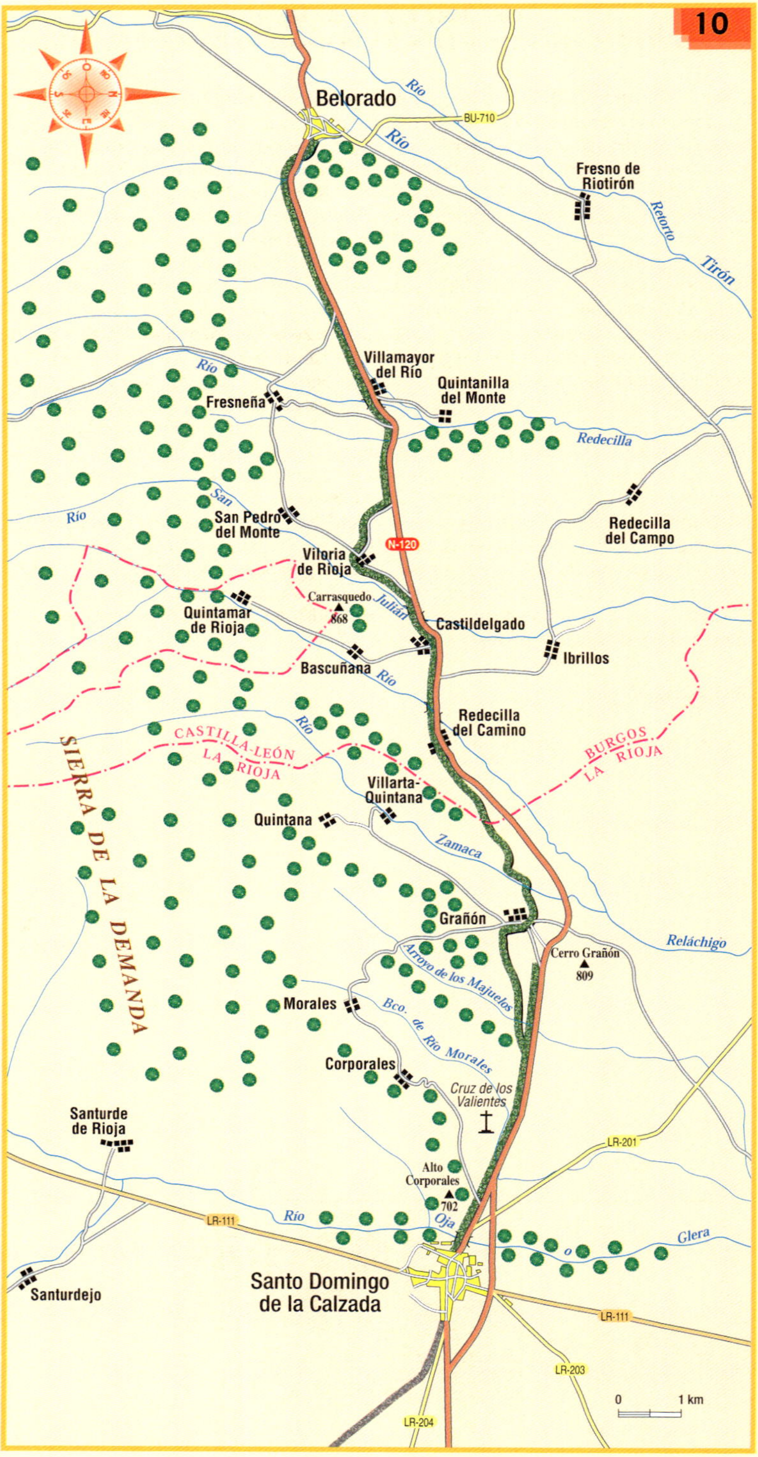
10
Belorado
BU-710
Río
Río
Fresno de Riotirón
Retorto
Tirón
Villamayor del Río
Quintanilla del Monte
Río
Fresneña
Redecilla
Redecilla del Campo
San
Río
San Pedro del Monte
N-120
Viloria de Rioja
Carrasquedo
868
Julián
Quintamar de Rioja
Castildelgado
Ibrillos
Bascuñana
Río
Redecilla del Camino
Río
CASTILLA-LEÓN
LA RIOJA
BURGOS
LA RIOJA
SIERRA DE LA DEMANDA
Villarta-Quintana
Quintana
Zamaca
Grañón
Relachigo
Cerro Grañón
809
Arroyo de los Majuelos
Morales
Bco. de Río Morales
Corporales
Cruz de los Valientes
Santurde de Rioja
LR-201
Alto Corporales
702
LR-111
Río
Oja
Glera
Santurdejo
Santo Domingo de la Calzada
LR-111
LR-203
0
1 km
LR-204

DER FRANZÖSISCHE WEG
ETAPPE 11. BELORADO – SAN JUAN DE ORTEGA

Man geht die Straße Camino de Santiago entlang, um aus **Belorado** hinauszukommen und nimmt einen asphaltierten Weg, der am Kloster der Heiligen Clara (Convento de Santa Clara) vorbeiführt, um in die Landstraße N-120 zu münden und sie zu überqueren, so dass man auf der linken Seite weitergeht. Am Ufer des Flusses Tirón, kann man auf einem Rastplatz ausruhen bevor man über eine Fußgängerbrücke aus Holz geht. Im Augenblick verläuft unsere Route, wie in der vorigen Etappe neben der Landstraße und zwischen Kornfeldern. Nachdem man an einer Tankstelle, einem Posten des Roten Kreuzes und an der Abzweigung nach Miguel de Pedroso vorbeigekommen ist, trennt sich der Pfad von der N-120, um, ohne sie aus den Augen zu verlieren, nach **Tosantos** zu führen. Der Weg kommt von hinten in das Dorf, aber von dort kann man die Berge und die Kapelle der Virgen de la Peña sehen, die in einen von ihnen gegraben ist. Ganz in der Nähe befindet sich **Villambistia**, von wo man unter Pappelreihen weitergeht und wenig später, auf einer Anhöhe, **Espinosa del Camino**, wohin man sich richten muss, nachdem man die Landstraße überquert hat. Wir haben das Tal des Flusses Oca vor uns. Man wandert auf einer Sandpiste zwischen Kornfeldern weiter, die uns dazu zwingt bergauf zu gehen um nachher wieder zum Kloster San Felices hinabzusteigen. Der Pfad schwenkt nach links ab und führt nach **Villafranca Montes de Oca**. Man kommt in diese Ortschaft über die Straße, die für Fußgänger äußerst gefährlich wird. Man überquert sie nach rechts auf der Höhe des Hospitals des Heiligen Abtes Antonius (San Antonio Abad), wo unser Aufstieg beginnt. Die Pfeile zeigen nach links, um den Friedhof herum, aber eine Rampe führt auf bequemere Weise an denselben Punkt. Man steigt nicht ohne Mühe durch tiefe Eichenwälder hindurch auf die Berge von Oca. Nach etwas mehr als einem Kilometer, erreicht man den Brunnen Mojapán, ein schöner Ort um auszuruhen und sich zu erholen. Wenn man oben ankommt, erscheinen Nadelbaumpflanzungen neben den Eichen. Da sie sehr nah ist, kann man die Landstraße N-120 hören (Denkmal der Gefallenen »Monumento a los Caídos«). Nachdem man die Schlucht des Flusses Cerrata de la Pedraja überquert hat, wandert man auf einer Waldpiste weiter (mit der Möglichkeit auf der Höhe des Meilensteines MP-61 auf einem Weg zur Kapelle Valdefuentes abzuzweigen), und wenn der Wald zu Ende ist, erscheint **San Juan de Ortega.**

RADFAHRER

Bis **Villafranca** ist das Terrain gut befahrbar, obwohl es Schwierigkeiten geben kann, wenn es Schlamm gibt. Dagegen kann der Aufstieg zu den Bergen von Oca und der Weg bis nach **San Juan de Ortega** ziemlich anstrengend sein.

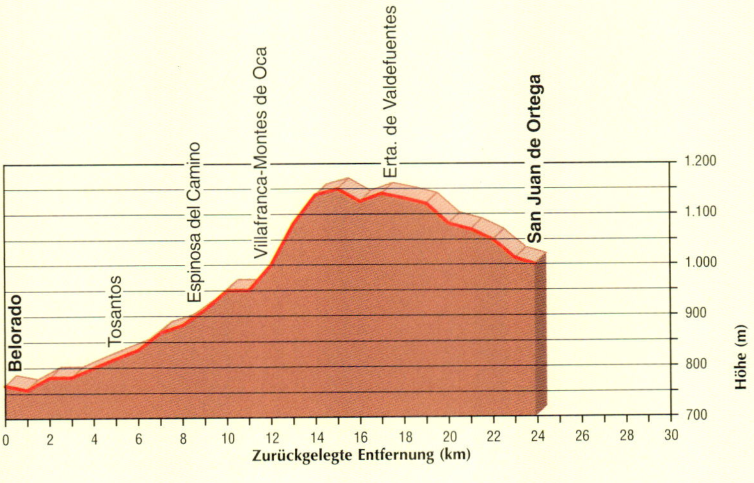

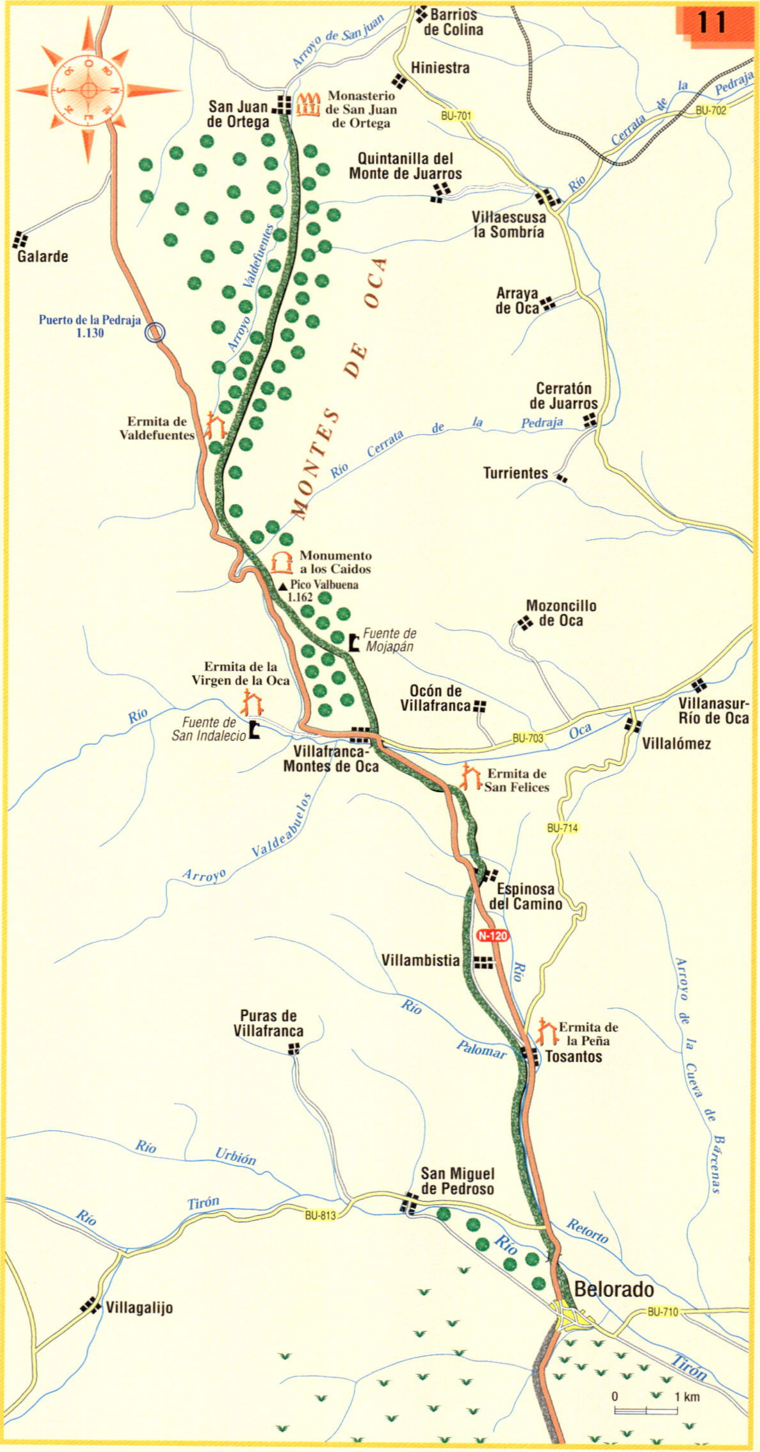
11
Barrios de Colina
Arroyo de San Juan
Hiniestra
San Juan de Ortega
Monasterio de San Juan de Ortega
BU-701
BU-702
Río Cerrata de la Pedraja
Quintanilla del Monte de Juarros
Villaescusa la Sombría
Galarde
Arroyo Valdefuentes
Montes de Oca
Arraya de Oca
Puerto de la Pedraja
1.130
Cerratón de Juarros
Ermita de Valdefuentes
Río Cerrata de la Pedraja
Turrientes
Monumento a los Caidos
Pico Valbuena
1.162
Mozoncillo de Oca
Fuente de Mojapán
Ermita de la Virgen de la Oca
Ocón de Villafranca
Villanasur-Río de Oca
Río
Fuente de San Indalecio
BU-703
Oca
Villalómez
Villafranca-Montes de Oca
Ermita de San Felices
BU-714
Arroyo Valdeabuelos
Espinosa del Camino
N-120
Villambistia
Río
Arroyo de la Cueva de Bárcenas
Río Palomar
Puras de Villafranca
Ermita de la Peña
Tosantos
Río Urbión
San Miguel de Pedroso
Río Tirón
BU-813
Retorto
Río
Belorado
Villagalijo
BU-710
Tirón
0
1 km

DER FRANZÖSISCHE WEG
ETAPPE 12. SAN JUAN DE ORTEGA – BURGOS

Von **San Juan de Ortega** aus führen uns unsere Schritte zur Landstraße, die nach Santovenia de Oca führt, sowie zur N-120. (Wenn man es vorzieht auf der Landstraße zu wandern, führt eine Piste, die neben ihr läuft, direkt nach Burgos.) Sehr bald zeigt ein Holzkreuz an, dass man in einen Wald aus Eichen und Pinien hinein muss. Hinter ein paar Toren führ das Vieh hört der Wald dort auf, wo ein alter Graben des Bergbauzuges auftaucht. 500 Meter weiter, begegnet uns ein anderes Kreuz. Von dort aus kann man links die Kirche von Santovenia betrachten, während man geradeaus **Agés** sieht, wohin man an der Kapelle Nuestra Señora de Rebollo vorbei hinabsteigen muss. Von Agés geht eine kleine Straße aus, die direkt nach Atapuerca führt (und an der Brücke vorbeikommt, die vom Heiligen Juan de Ortega über den Fluss Vena gebaut wurde). Von hier aus geht der Weg in Richtung Sierra de Atapuerca, wobei er stetig zwischen Steineichen hinaufführt. Bald erscheint ein Stacheldraht, der ein Militärgelände abgrenzt. Und fast 2km weiter, erhebt sich noch ein großes Holzkreuz (rechts sieht man in einiger Entfernung einen Steinbruch und Kommunikationsantennen). Beim Abstieg, kommt man an mehrere Kreuzungen: die erste zwingt uns dazu, zwischen Cardeñuela und Castañares zu wählen.

A) Wenn man Cardeñuela wählt, führt der Weg zu dieser Ortschaft über **Villalval** hinab, um sich, einmal in **Cardeñuela** angekommen, nach **Orbaneja** zu richten.

B) Wenn die Wahl Castañares trifft, erscheint wenig später eine neue Weggabelung, zwischen Castañares und Orbaneja.

• Wenn man Orbaneja wählt, steigt man zu dieser Ortschaft hinab, wo der Weg von Cardeñuela wieder mit unserem Weg zusammentrifft. Von **Orbaneja** aus geht man in Richtung Autobahn A-1 weiter, überquert diese auf einer Brücke und wandert auf einer asphaltierten Piste nach **Villafría** weiter. Man überquert die Zugschienen und einmal in Villafría angelangt, geht man durch die Industrieanlage, entlang der Landstraße N-120. Mit diesem Ort verschmolzen ist das Viertel Gamonal, durch das man nach **Burgos** hineinkommt. Danach geht man durch die Straßen Las Calzadas, San Juan, Avellanos und Fernán González in Richtung Kathedrale.

• Die Alternative über Castañares ist viel länger und der Einzug nach Burgos umständlicher, außerdem gibt es weniger Schilder. Bis Castañares überquert man ebenfalls die Autobahn und nimmt einen Weg nach links, zwischen Schutthalden und umzäunten Zonen. Ab **Castañares** folgt man ständig der Landstraße und wenn man nach Burgos hineinkommt, dem Fluss Arlanzón.

RADFAHRER

Von San Juan de Ortega aus kann man entweder:
A) Die Wanderroute nehmen, obwohl die Strecke, welche die Sierra de Atapuerca durchläuft, große Schwierigkeiten bietet. Von **Atapuerca** aus kann man die Landstraße nehmen, die es mit **Olmos de Atapuerca** verbindet und von dort auf der N-1 weiterfahren.
B) Nach links abbiegen, um in **Santovenia** die N-120 zu nehmen, die über **Zalduendo, Ibeas de Juarros** und **San Mendel** direkt nach Burgos führt.
C) Nach rechts abbiegen, Richtung **Barrios de Colina** über **Olmos de Atapuerca, Rubena** und **Villafría**.

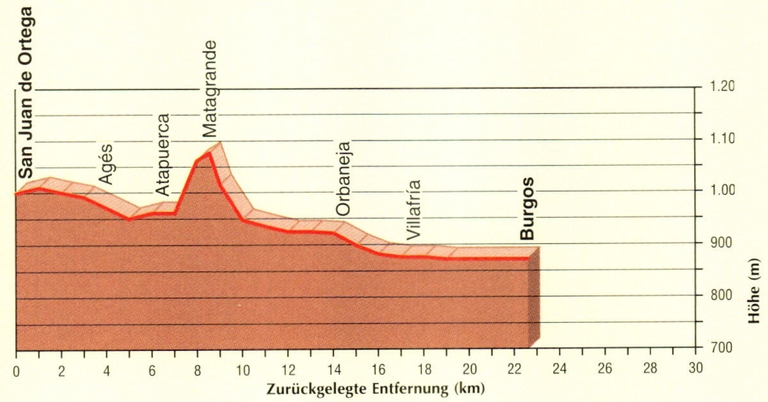

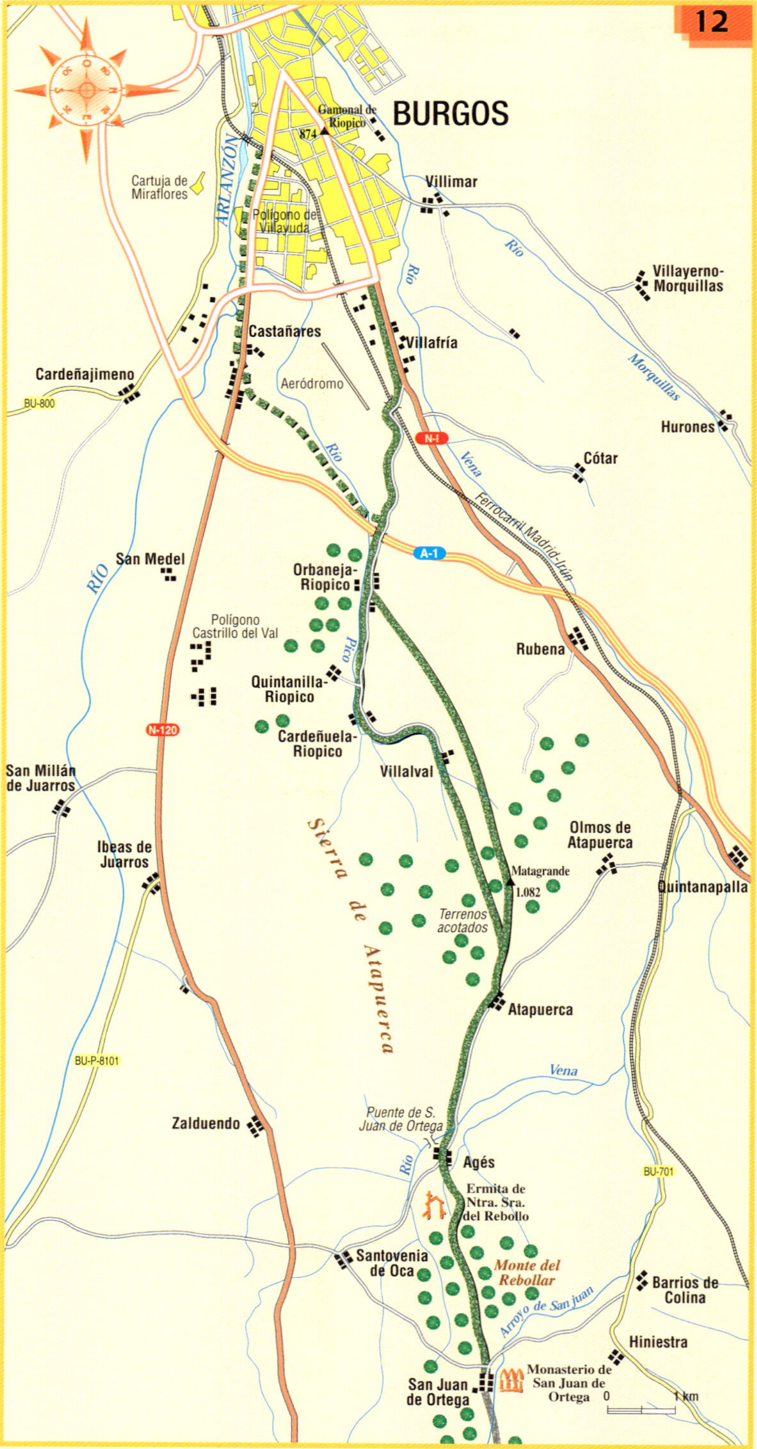

BURGOS
Gamonal de Riopico
874
Cartuja de Miraflores
ARLANZÓN
Polígono de Villayuda
Villimar
Río
Villayerno-Morquillas
Castañares
Villafría
Aeródromo
Cardeñajimeno
BU-800
Morquillas
Hurones
N-I
Vena
Cótar
Río
Ferrocarril Madrid-Irún
A-1
San Medel
Orbaneja-Riopico
RÍO
Polígono Castrillo del Val
Pico
Rubena
Quintanilla-Riopico
N-120
Cardeñuela-Riopico
Villalval
San Millán de Juarros
Sierra de Atapuerca
Olmos de Atapuerca
Ibeas de Juarros
Matagrande
1.082
Quintanapalla
Terrenos acotados
Atapuerca
BU-P-8101
Vena
Zalduendo
Puente de S. Juan de Ortega
Agés
Río
BU-701
Ermita de Ntra. Sra. del Rebollo
Santovenia de Oca
Monte del Rebollar
Barrios de Colina
Arroyo de San juan
Hiniestra
Monasterio de San Juan de Ortega
San Juan de Ortega
0
1 km

DER FRANZÖSISCHE WEG
ETAPPE 13. BURGOS – CASTROJERIZ

Man verlässt die Stadt **Burgos** über den Fluss Arlanzón auf der Brücke Malatos und am Park El Parral entlang. Das Hospital del Rey und die Humanistische Fakultät liegen links von uns, während der Jakobsweg parallel zu der Landstraße N-620 weiterführt. Man überquert die Gleise und die Straße und biegt nach rechts in die Straße Pérez Galdós ein. Dort erscheint eine Piste, die an der Baumschule des Bundeslandes Castilla und León (Junta de Castilla y León) vorbeiführt und zur kleinen Nebenstation La Alameda führt, von wo aus man nach **Villalbilla** kommt. Wenn man nicht in die Ortschaft hinein möchte, muss man unter Pappeln und Obstbäumen weitergehen. Man überquert das Hindernis der Autobahn und geht auf der Landstraße (N-120) und auf der Brücke Puente del Arzobispo über den Fluss Arlanzón. Auf einem Weg, der neben dem Asphalt herführt, kommt man nach **Tardajos**. Von da aus geht man auf einer asphaltierten Piste in Richtung **Rabé de las Calzadas** weiter, durch ein Tal, das von zahlreichen Bächen durchflossen wird. Hinter der Brücke über den Fluss Urbel, kommt man zum Dorf. Um es zu verlassen, muss man zwischen Hallen hindurch, und wenn man zur Kapelle Nuestra Señora del Monasterio kommt, neben dem Friedhof, erscheint eine Weggabelung: die Pfeile zeigen nach links aber beide Wege sind parallel und vereinen sich nach fast 3 Kilometern durch eine einsame Kornfelderlandschaft, die von kleinen Anhöhen geschützt wird. Man steigt auf die Hochebene, auf der man mehr als 1,5 Kilometer lang wandert um steil (»Hang von Matamulos«) in das Tal des Flusses Hormazuelas hinunterzusteigen, wo man die Landstraße nach Estepar und den Fluss überquert, um nach **Hornillos** zu kommen. Man geht an der Herberge und der Kirche vorbei und verlässt das Dorf auf dem Weg nach rechts, der zwischen Pappeln verläuft. Es folgt ein neuer Aufstieg auf ein Plateau und wenn man wieder hinuntergeht, erscheint der Bach San Bol, wo ein Jerusalemkreuz auf einem Gebäude eine Unterkunft anzeigt (Brunnen). Man steigt auf eine andere Hochebene hinauf, auf der Gruppen von Steineichen hin und wieder die Weiden und Kornfelder unterbrechen. Und auf seinem westlichen Hang erscheint unverhofft **Hontanas**, dessen Hauptstraße Calle Real in die Landstraße übergeht, in Richtung Castrojeriz. Auf einer parallelen Piste durchwandert man das Tal, dem Lauf des Baches Garbanzuelo folgend, zwischen Anhöhen, deren Hänge mit Bäumen bepflanzt sind. Nach etwa 4 Kilometern kommt man wieder auf die Straße und geht unter dem Bogen des Klosters des Heiligen Antonius (Convento de San Antón) durch. Von dort aus erblickt man **Castrojeriz**, an dessen Eingang uns die Stiftskirche Santa María del Manzano erwartet.

RADFAHRER

Die größten Schwierigkeiten kann man beim Abstieg über den Hang »Matamulos« finden und es existiert die Möglichkeit, dass Wege und Pisten voll Schlamm sind. Die Alternative für Radfahrer wäre der Landstraße N-120 bis **Olmillos de Sasamón** zu folgen und dort die lokale Straße in Richtung Iglesias zu nehmen, von der rechts die Straße abzweigt, die direkt nach **Castrojeriz** führt.

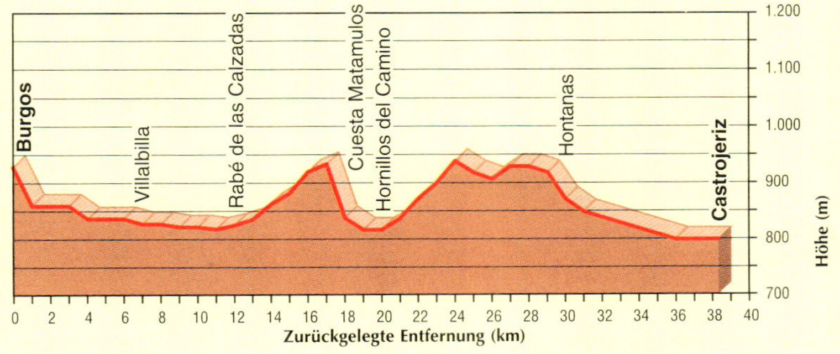

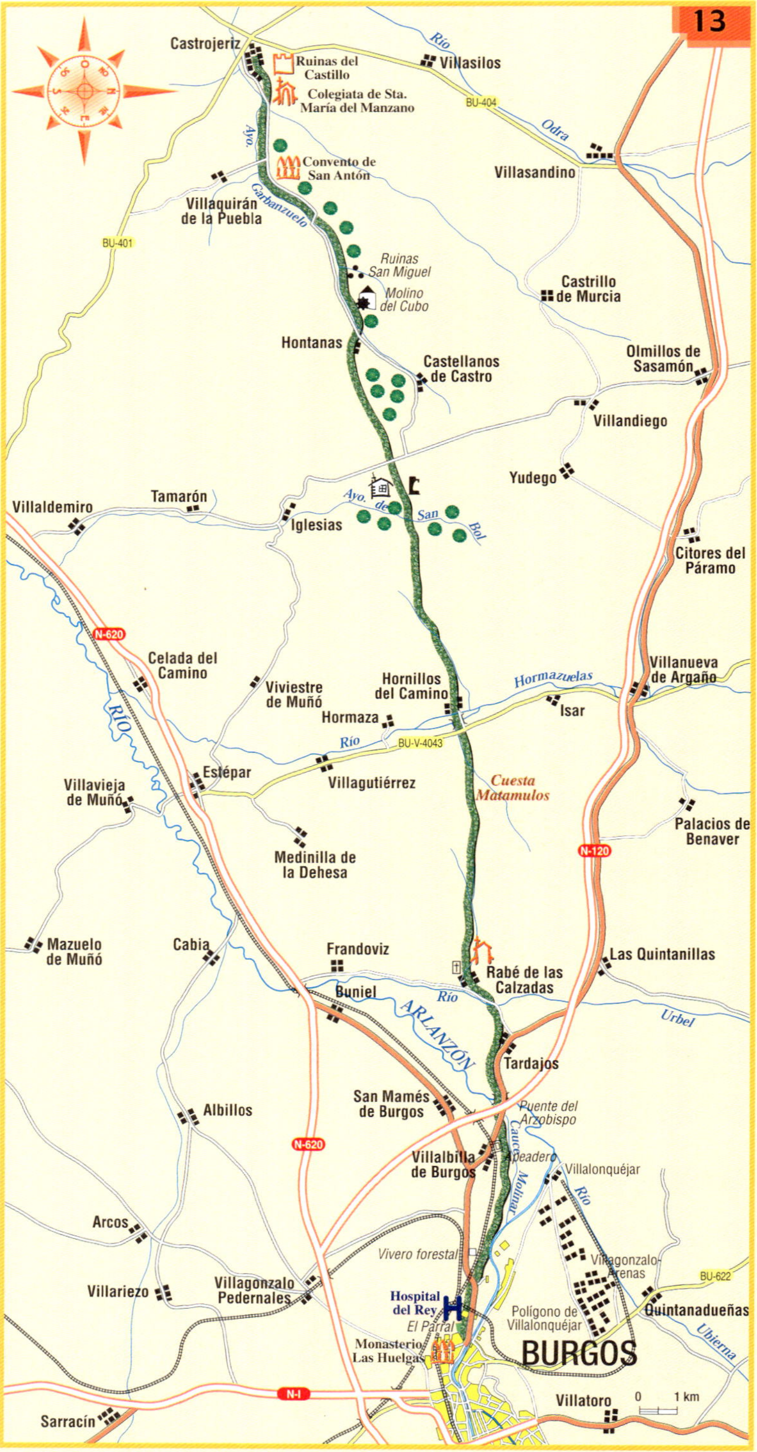
Castrojeriz
Ruinas del Castillo
Colegiata de Sta. María del Manzano
Río
Villasilos
BU-404
Odra
Villasandino
Ayo.
Convento de San Antón
Villaquirán de la Puebla
Garbanzuelo
BU-401
Ruinas San Miguel
Molino del Cubo
Castrillo de Murcia
Hontanas
Castellanos de Castro
Olmillos de Sasamón
Villandiego
Yudego
Villaldemiro
Tamarón
Ayo. de San Bol
Iglesias
Citores del Páramo
N-620
Celada del Camino
Viviestre de Muñó
Hornillos del Camino
Hormazuelas
Villanueva de Argaño
Isar
Hormaza
Río
BU-V-4043
Estépar
Villagutiérrez
Villavieja de Muñó
Cuesta Matamulos
Palacios de Benaver
N-120
Medinilla de la Dehesa
Mazuelo de Muñó
Cabia
Frandoviz
Las Quintanillas
Rabé de las Calzadas
Buniel
Río
ARLANZÓN
Urbel
Tardajos
San Mamés de Burgos
Albillos
Puente del Arzobispo
N-620
Villalbilla de Burgos
Cauce Molinar
Apeadero
Villalonquéjar
Río
Arcos
Vivero forestal
Villagonzalo-Arenas
BU-622
Villariezo
Villagonzalo Pedernales
Hospital del Rey
El Parral
Polígono de Villalonquéjar
Quintanadueñas
Ubierna
Monasterio Las Huelgas
BURGOS
N-I
Villatoro
0 1 km
Sarracín

DER FRANZÖSISCHE WEG
ETAPPE 14. CASTROJERIZ – FRÓMISTA

Über die Straße Calle del Cordón kommt man auf die Landstraße nach Villasilos, die man überquert um einen Weg, der zwischen Hallen hindurchzieht, zu nehmen. Nachdem man auch die Landstraße nach Melgar de Fernamental überquert hat und den Hügel mit seiner Burg im Rücken gelassen hat, nimmt man einen Sandweg, der das Tal des Flusses Odrilla in Richtung auf die Hochebene durchquert. Nachdem man den Fluss auf einer mittelalterlichen Brücke überquert hat, beginnt man den Aufstieg über den steilen Hang von Mostelares. Man wandert über die Hochebene bis zu ihrem Rand, wo man nach Westen die fruchtbare Ebene des Flusses Pisuerga und die Tierra de Campos erblickt, während man im Norden die Kantabrische Kordilliere (Cordillera Cantábrica) sieht. Man steigt den sogenannten »Franzosenweg Engpass« (»Colada del Camino Francés«) hinab. Der Abstieg, der am Anfang ziemlich steil ist, wird dann sanfter bis das Terrain ganz flach ist. Man kommt an einem Rastplatz neben dem Brunnen »Fuente del Piojo« vorbei und wenig später kommt man auf eine Piste, die von Pedrosa del Príncipe herkommt, aber ein Weg leitet uns nach links und wir kommen rechts an Itero del Castillo vorbei, das auf dieser Seite des Flussufers des Pisuerga liegt. Vor der Brücke von Itero, kommt man an der Kapelle des Heiligen Nikolaus (»Ermita de San Nicolás«) vorbei. Der Fluss markiert die Trennungslinie zwischen Burgos und Palencia und wenn man ihn überquert hat, fängt die Tierra de Campos an. Der Jakobsweg folgt dem Flusslauf durch den frischen Uferwald und nachdem man den Friedhof und einen Rastplatz hinter sich gelassen hat, kommt man nach **Itero de la Vega** (das ursprünglich abseits des Jakobsweges lag). Die Straßen, die zum Ausgang des Dorfes führen sind folgende: Onésimo Redondo, Emilio Ibáñez, Santa Ana und Comandante Ramírez. Auf einer schattigen Piste kommt man zur Landstraße nach Osorno, die man überquert um geradeaus weiterzugehen, genau wie man später den Kanal des Pisuerga überquert. Man steigt sanft neben dem Hügel »Alto del Paso Largo« hinauf. Und vor unseren Augen erscheint Boadilla. Es tauchen auf beiden Seiten kleine Anhöhen auf, deren Hänge mit Bäumen bepflanzt sind, sowie zahlreiche Taubenschläge. Ein kleiner Bach ist das letzte Hindernis vor **Boadilla del Camino**, an dessem Eingang sich die städtische Herberge befindet. Man geht hinter der Kirche Santa María und an dem berühmten Schandpfahl vorbei und kommt auf eine Tenne. An einem Bewässerungsgraben erscheint eine Weggabelung. Man wählt den Weg nach links, der von Pappeln gesäumt ist und zum Kastilienkanal (Canal de Castilla) führt, dem man bis in die Nähe von Frómista folgen muss. Nachdem man den Kanal auf einer Schleuse überquert hat, führt eine Asphaltpiste zur Landstraße nach Astudillo, auf der man durch einen Tunnel, der unter den Zuggleisen hindurchführt, nach **Frómista** hineinkommt.

RADFAHRER

Die Anhöhe Teso de Mostelares kann für Radfahrer ein großes Hindernis sein. Um es zu vermeiden, nimmt man die Landstraße in Richtung Melgar de Fernamental bis Castrillo de Matajudíos und von dort aus die BU-403, die auf der großen Brücke von Itero mündet.

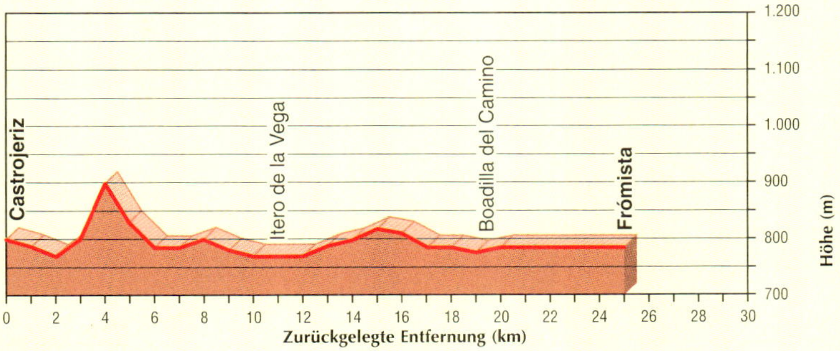

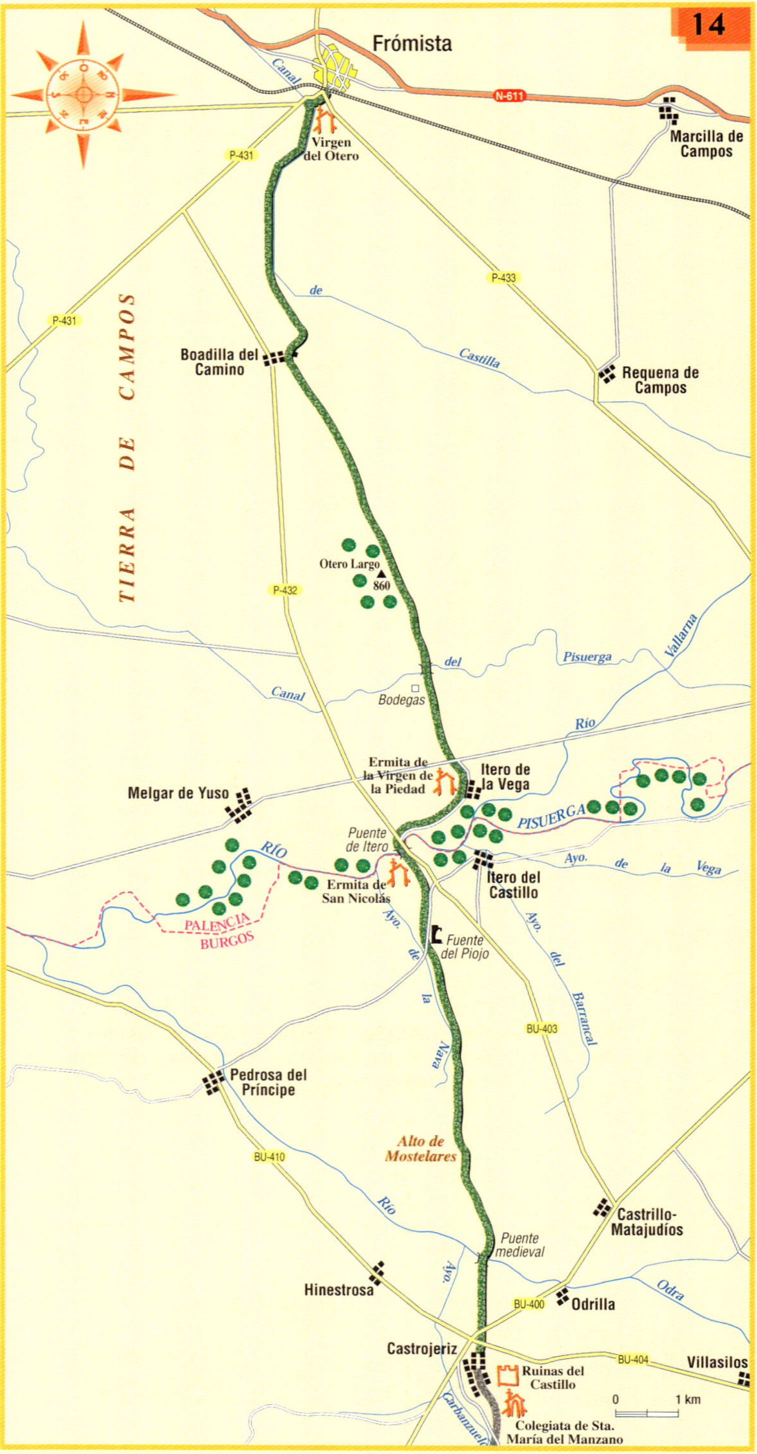
14
Frómista
Canal
N-611
Marcilla de Campos
Virgen del Otero
P-431
P-433
de
Castilla
TIERRA DE CAMPOS
Boadilla del Camino
Requena de Campos
Otero Largo
860
P-432
del
Pisuerga
Vallarna
Canal
Bodegas
Río
Ermita de la Virgen de la Piedad
Itero de la Vega
Melgar de Yuso
PISUERGA
Puente de Itero
RÍO
Ayo. de la Vega
Ermita de San Nicolás
Itero del Castillo
PALENCIA
BURGOS
Ayo. de la Nava
Fuente del Piojo
Ayo. del Barrancal
BU-403
Pedrosa del Príncipe
Alto de Mostelares
BU-410
Río
Castrillo-Matajudíos
Puente medieval
Hinestrosa
Ayo.
Odra
BU-400
Odrilla
Castrojeriz
BU-404
Villasilos
Ruinas del Castillo
0
1 km
Colegiata de Sta. María del Manzano

DER FRANZÖSISCHE WEG
ETAPPE 15. FRÓMISTA – CARRIÓN DE LOS CONDES

Die Straße Julio Senador geht in die Landstraße über, auf der man **Frómista** verlässt. Man muss die Umgehungsstraße überqueren. Man nimmt einen für die Pilger eingerichteten Pfad rechts der Straße (an der linken Seite sieht man den Kanal fließen). Auf diesem Pfad gelangt man nach **Población de Campos** und bevor man dorthin kommt, an die Kapelle des Heiligen Michael (Ermita de San Miguel; neben der Kapelle gibt es ein kleines Ausflugslokal in einem Pappelwäldchen). In Población selbst kommt man an der Herberge und an der Kapelle Mariahilf (Ermita del Socorro) vorbei. Bevor man das Dorf verlässt, bieten sich auf dem Platz Plaza del Corro zwei Alternativen:

A) Nach links kommt man -nachdem man vorher den Fluss Ucieza überquert hat auf die Landstraße C-980, um an ihr entlang geradeaus nach **Revenga** weiterzuwandern, bis man nach **Villarmentero** gelangt.

B) Oder man verlässt die Ortschaft auf der Straße Cruz de Malta, und geht auf einem Feldweg auf dem rechten Ufer des Flusses Ucieza weiter, an **Villovieco** vorbei, in das man nicht hineingeht, überquert den Fluss nach links Ufer und wandert zwischen der Ufervegetation weiter, bis man nach **Villarmentero** gelangt.

Von da ab treffen beide Alternativen zusammen. (Wenngleich es noch manche alte Schilder gibt, die als Fortsetzung einen alten, etwas vernachlässigten Pfad voller Sträucher anzeigen, der das linke Ufer des Ucieza bis zur Landstraße nach Arconada entlangführt, die rechts an der Kapelle der Virgen del Río vorbei nach **Villalcázar de Sirga** führt.)

Von Villarmentero bis **Villalcázar de Sirga** geht der Pfad parallel zur Straße weiter. Am Ausgang dieser Ortschaft nimmt man wieder die Piste, die auf der rechten Seite der C-980 eingerichtet ist und die direkt nach **Carrión de los Condes** führt. Am Eingang des Städtchens überquert man die Straße nach links und nimmt die Pilgerstraße (Avenida de los Peregrinos) in Richtung des Klosters der Heiligen Klara (Convento de Santa Clara) und von dort weiter zu den Kirchen der Heiligen Maria und des Heiligen Jakob (Santa María y Santiago).

RADFAHRER

Auf dieser Etappe werden Radfahrer keinerlei Hindernisse vorfinden. Die Alternative a) folgt getreu dem Verlauf der Landstraße.

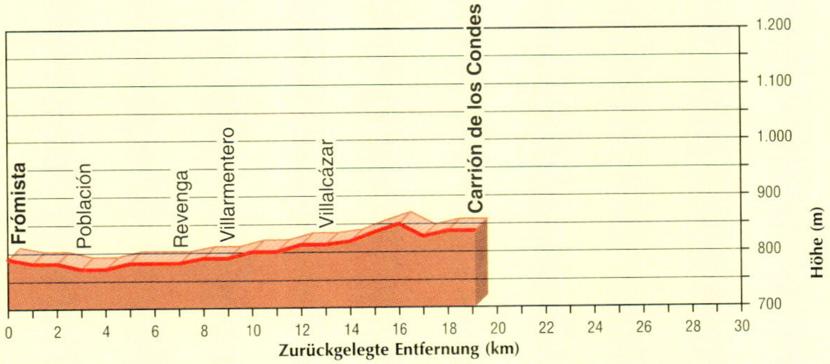

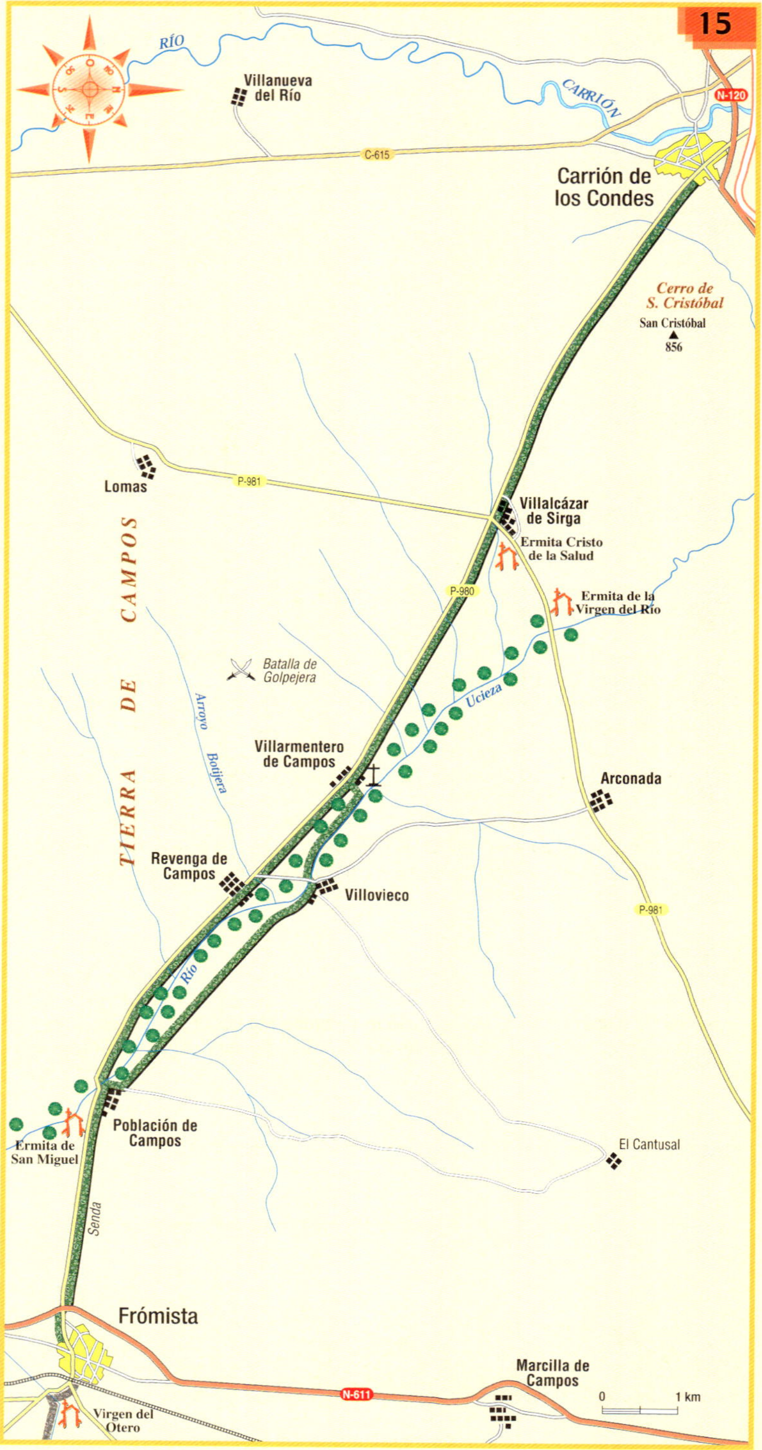
15
RÍO
CARRIÓN
Villanueva del Río
C-615
N-120
Carrión de los Condes
Cerro de S. Cristóbal
San Cristóbal
856
Lomas
P-981
Villalcázar de Sirga
Ermita Cristo de la Salud
P-980
Ermita de la Virgen del Río
TIERRA DE CAMPOS
Batalla de Golpejera
Arroyo Botijera
Ucieza
Villarmentero de Campos
Arconada
Revenga de Campos
Villovieco
P-981
Río
Población de Campos
Ermita de San Miguel
El Cantusal
Senda
Frómista
Marcilla de Campos
N-611
0
1 km
Virgen del Otero

DER FRANZÖSISCHE WEG
ETAPPE 16. CARRIÓN DE LOS CONDES – SAHAGÚN

Wenn man den Fluss Carrión überquert, kommt man am Kloster San Zoilo vorbei und muss danach die Kreuzung mit der Landstraße, die nach Saldaña führt, in Richtung Sahagún überqueren. Wenn man zur nächsten Kreuzung kommt, geht man geradeaus weiter, auf der Piste in Richtung Villotilla, die auch »Straße des Indiano« (»Carretera del Indiano«)* genannt wird. Auf dem Weg kommt man an mehreren Pappelwäldern vorbei und überquert viele kleine Bäche. Ungefähr 4 Kilometer weiter befindet sich die Abtei von Benevívere in einer sehr bewaldeten Gegend und kurz danach überquert man den Fluss Molino. Einen Kilometer weiter verlässt man diese Piste an einer Kurve, um geradeaus auf der alten Via Aquitana weiterzugehen (13km), die von Bäumen gesäumt wird, die leider noch keinen Schatten spenden. Wenn man auf ihr weiterwandert, kommt man rechts am Brunnen »Fuente del Hospitalejo« oder »Santa María de la Fuente« vorbei. Währendessen sieht man im Norden und parallel zur Römerstraße die Autobahn, während einige einsame Steineichen zwischen den Äckern auftauchen. Man überquert die Straße nach Bustillo del Páramo und den Lauf mehrerer Bäche, die den Jakobsweg senkrecht kreuzen, sowie die Cañada Real, einen öffentlichen Viehweg. Wenig danach erscheint am Horizont der Turm der Kirche von **Calzadilla de la Cueza**. Am Ausgang dieses Dorfes, bestehen mehrere Möglichkeiten:

a) Auf dem zur Straße N-120 parallelen Pfad bis **Terradillos de Templarios** weiter zu gehen, wobei man durch **Ledigos** kommt.

b) Links vom Asphalt den sogenannten Waldpfad zu nehmen, der den Bach Fuente Arriba überquert und danach durch einen Eichenwald führt, um von Neuem auf die N-120 zu kommen. Auf dem km. 222 nimmt man einen Feldweg bis Ledigos, der rechts parallel zur Straße verläuft.

c) Dem Pfad am Fluss entlang zu folgen, der aus dem vorigen Pfad hervorgeht und der erst zwischen dem Fluss Cueza und der Landstraße veläuft und dann auf der Höhe von Ledigos die Straße nach Población de Arroyo bis zu einem Taubenschlag nimmt, um danach mit der nächsten Route zusammenzutreffen.

d) Man überquert den Fluss Cueza und folgt dem Pfad, der zu einem Taubenschlag führt, welcher am Rande der Straße nach Población de Arroyo liegt. Von dort aus umgeht ein Feldweg die Kurve der Landstraße und führt nach **Terradillos de los Templarios.**

Man verlässt diese Ortschaft auf einem Weg, der zur Straße nach Villada führt, die man nach rechts verlässt. Man überquert den Bach Templarios und kommt durch die mittelalterliche Siedlung Villavieja. Von **Moratinos** aus führt eine anderer Weg nach **San Nicolás del Real Camino**. Hinter diesem Dorf überquert man den Fluss Sequillo. An dem Punkt, an dem Sahagún am Horizont erscheint, befindet sich die Grenze zwischen den Provinzen Palencia und León. Den Fluss Valdereduey überquert man wieder auf der Straße. Von ihr geht eine Weg aus, der zur Kapelle der Virgen del Puente führt und der danach parallel zur Straße bis nach **Sahagún** hineinführt.

RADFAHRER

Von dem Moment an, wo man die »Straße des Indiano« verlässt, bis Calzadilla de la Cueza, hängt der Schwierigkeitsgrad dieser Etappe von dem Zustand des mit Steinen gepflasterten Weges ab.

* »Indiano« wurden diejenigen genannt, die nach Amerika auswanderten und als reiche Männer zurückkehrten. (A.d.Ü.)

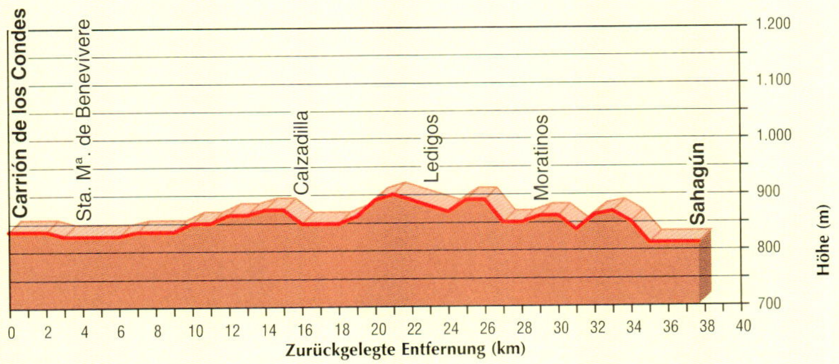

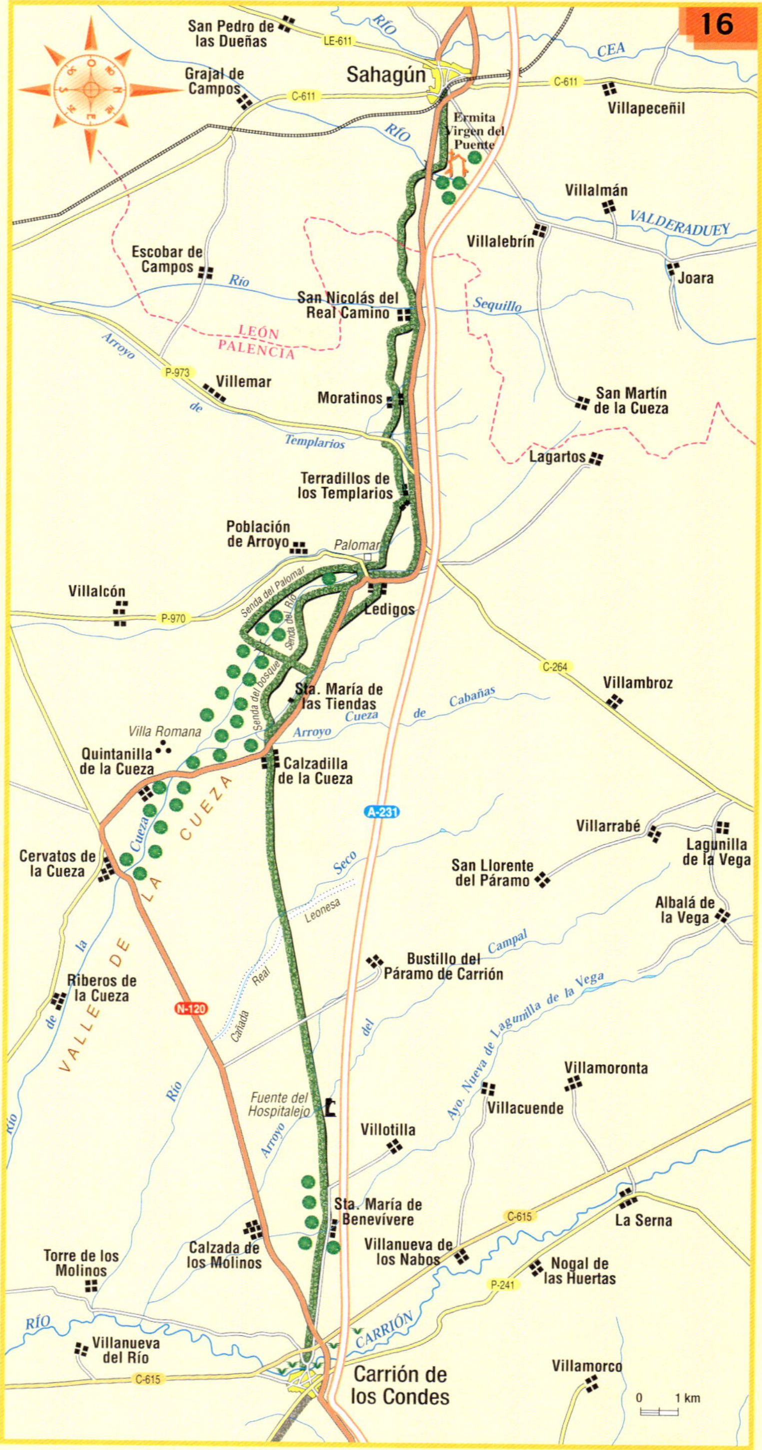
16
San Pedro de las Dueñas
LE-611
RÍO
CEA
Sahagún
Grajal de Campos
C-611
Villapeceñil
Ermita Virgen del Puente
RÍO
Villalmán
VALDERADUEY
Villalebrín
Joara
Escobar de Campos
Río
San Nicolás del Real Camino
Sequillo
LEÓN
PALENCIA
Arroyo
P-973
Villemar
de
Moratinos
San Martín de la Cueza
Templarios
Lagartos
Terradillos de los Templarios
Población de Arroyo
Palomar
Villalcón
Senda del Palomar
Senda del Río
Ledigos
P-970
Senda del bosque
C-264
Villambroz
Sta. María de las Tiendas
Cueza
de
Cabañas
Villa Romana
Arroyo
Quintanilla de la Cueza
Calzadilla de la Cueza
CUEZA
A-231
Villarrabé
Lagunilla de la Vega
Cueza
Cervatos de la Cueza
LA
Seco
San Llorente del Páramo
Albalá de la Vega
Leonesa
la
DE
Campal
Bustillo del Páramo de Carrión
Riberos de la Cueza
Real
N-120
Ayo. Nueva de Lagunilla de la Vega
de
Cañada
del
VALLE
Villamoronta
Río
Fuente del Hospitalejo
Villacuende
Río
Arroyo
Villotilla
Sta. María de Benevívere
La Serna
C-615
Villanueva de los Nabos
Nogal de las Huertas
Torre de los Molinos
Calzada de los Molinos
P-241
RÍO
CARRIÓN
Villanueva del Río
C-615
Carrión de los Condes
Villamorco
0
1 km

DER FRANZÖSISCHE WEG
ETAPPE 17. SAHAGÚN – RELIEGOS

Die Straße Antonio Nicolás führt auf die Brücke Puente del Canto über dem Fluss Cea, auf der man aus **Sahagún** hinausgeht. (Die berühmte Lanzenwiese »Prado de las Lanzas« und das Camping, liegen rechts davor.) Ein von Pappeln gesäumter Weg führt links an der Landstraße N-120 entlang, bis - nachdem man auf die rechte Seite hinübergegangen ist, um an der Kapelle des Heiligen Rochus (Ermita de San Roque) vorbeizugehen - eine Weggabelung erscheint, an der man entscheiden muss, ob man neben dem Französischen Königlichen Weg (Camino Real Francés) oder auf der »Via Traiana« weiterzieht:

A) Ohne dass man nach Calzada de Coto hineingeht, beginnt eine von jungen und schönen Platanen gesäumte Piste mit zahlreichen Rastplätzen, die bis Mansilla de las Mulas weitergeht. (Die Autobahn verläuft parallel dazu, rechts). Nachdem man an einigen von Pappeln umwachsenen Lagunen vorbeikommt, die nur zu gewissen Jahreszeiten Wasser vorweisen, den Bach Coso überquert und die Kapelle Perales hinter sich lässt, ist die erste Ortschaft, in die man kommt, **Bercianos del Real Camino**, von wo man im Norden das bewaldete Gebiet des Gemeindelandes von Valdelocajos sieht, durch das die andere Alternative führt. Am Ausgang von Bercianos, nimmt man wieder denselben Sandweg und überquert den Bach Majuelos. Zwischen den Pappeln zeigt ein Schild den »Pilgerbrunnen» (Fuente de los Romeros) an und weiter vorne kommt man an noch weiteren kleinen Lagunen vorbei. Um nach **El Burgo Ranero** hineinzugelangen, geht man unter der Autobahn hindurch und durchquert das Dorf auf seiner Hauptstraße (Calle Real), die zum Ausgang führt, wo ein großer Teich liegt.

Von Neuem wandert man auf der für die Pilger eingerichteten Piste, wo wir auf unserem Weg vielen Rastplätzen und Bächen begegnen. Nach fast 8km sieht man links Villamarco, während der Jakobsweg sich den Zuggleisen nähert und sie letztendlich überquert. Man lässt eine Nadelbaumpflanzung hinter sich und durchquert das kleine Tal des Baches Santa María. Da erscheint **Reliegos** nach mehr als 12 Kilometern.

B) Wenn man die »Via Traiana« oder Pilgerstraße (Calzada de los Peregrinos) wählt, kreuzt man die Autobahn und kommt nach **Calzada de Coto.** Bald überquert man die Zugschienen, um durch den in Weideland verwandelten Wald von Valdelocajos zu wandern. Danach kommt man nach **Calzadilla de los Hermanillos**. Von dort aus nimmt man dieselbe Römerstraße, auf der man die Landstraße nach Burgo Ranero kreuzt und geht immer näher an den Zuggleisen weiter, bis man an den Nebenbahnhof von Villamarco gelangt. Auf der Höhe von Reliegos kann man einen Weg dorthin nehmen oder nach Mansilla weitergehen.

RADFAHRER

Aufgrund des Zustandes der Pfalsterung, ist für Radfahrer die bequemste Route der Camino Real.

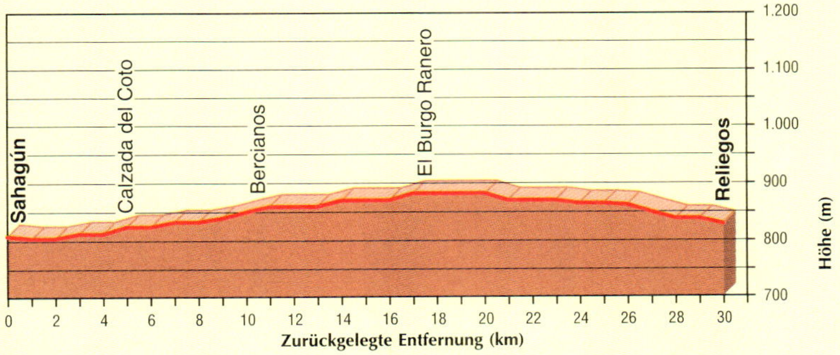

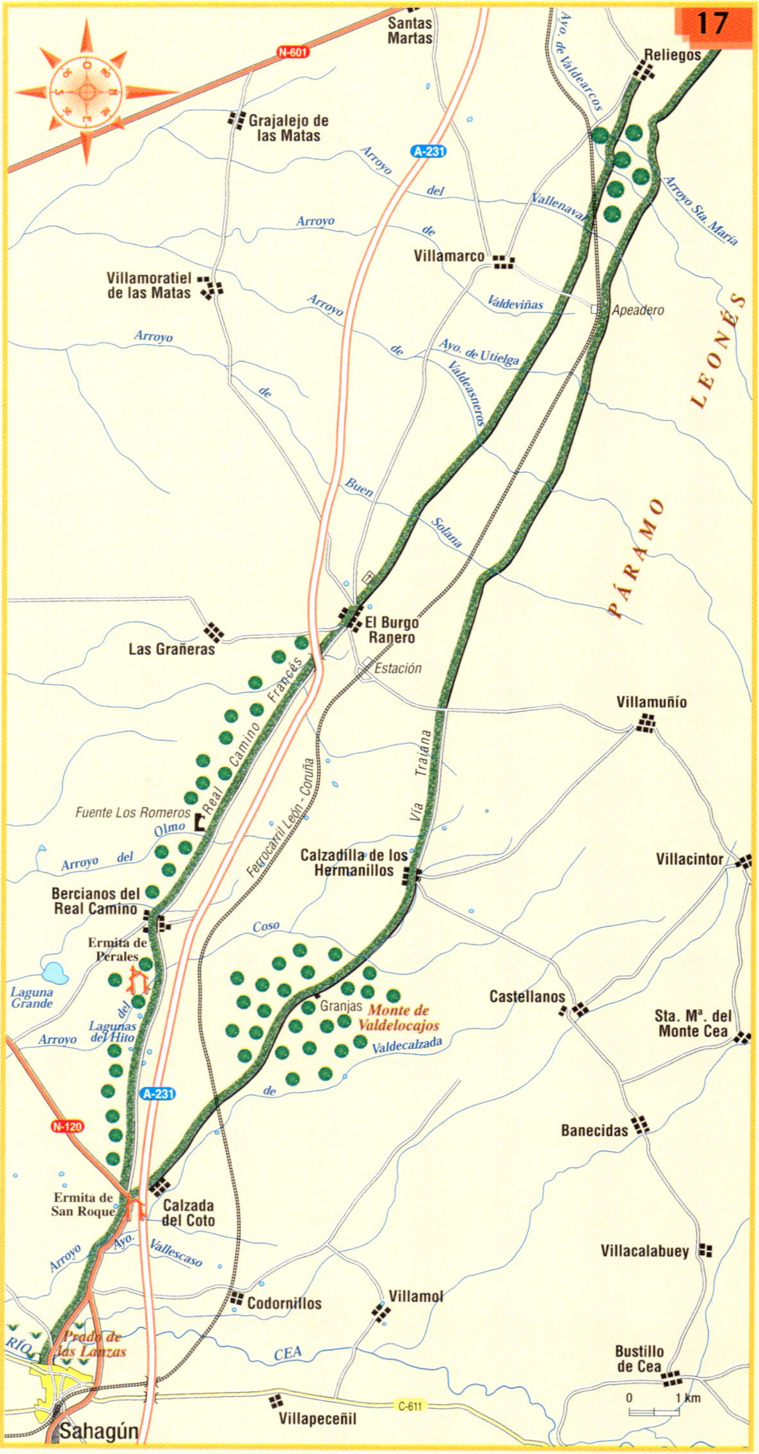

17
Santas Martas
N-601
Reliegos
Ayo. de Valdearcos
Grajalejo de las Matas
A-231
Arroyo del Vallenaval
Arroyo Sta. María
Arroyo de Valdeviñas
Villamarco
Villamoratiel de las Matas
Apeadero
Arroyo de Valdeasneros
Ayo. de Utielga
Arroyo de Buen Solana
LEONÉS
PÁRAMO
El Burgo Ranero
Las Grañeras
Estación
Villamuñío
Real Camino Francés
Ferrocarril León - Coruña
Vía Trajana
Fuente Los Romeros
Arroyo del Olmo
Calzadilla de los Hermanillos
Villacintor
Bercianos del Real Camino
Coso
Ermita de Perales
Laguna Grande
Arroyo del
Lagunas del Hito
Granjas
Monte de Valdelocajos
Castellanos
Sta. Mª. del Monte Cea
de Valdecalzada
A-231
N-120
Banecidas
Ermita de San Roque
Calzada del Coto
Arroyo
Ayo. Vallescaso
Villacalabuey
Codornillos
Villamol
Prado de las Lanzas
RÍO CEA
Bustillo de Cea
0
1 km
C-611
Villapeceñil
Sahagún

DER FRANZÖSISCHE WEG
ETAPPE 18. RELIEGOS – LEÓN

A) Der Französische Königliche Weg (Real Camino Francés) durchläuft **Reliegos** über seine Hauptstraße (Calle Real) und kommt an der Anlage für das baskische Ballspiel und an dem Fussballplatz vorbei. Man muss zum Ufer des Esla auf derselben, von Bäumen gesäumten Piste der vorigen Etappe gehen. Man kommt über den Bach Arroyo Grande und bevor man nach **Mansilla de las Mulas** gelangt, überquert man eine Brücke über der Umgehungsstraße und einen Kanal, um dann durch das Tor, das früher der südliche Eingang der Stadt war, hindurchzutreten.

B) Die »Via Traiana« endet ihrerseits, nach einem ähnlichen und fast parallelem Verlauf, in Mansilla de las Mulas, in das sie durch das Tor der Heiligen Maria (Puerta de Santa María) führt. Das Dorf verlässt man zusammen mit der Landstraße N-601 auf der mittelalterlichen Brücke über den Fluss Esla. Wenig später erscheint ein Pfad, der parallel zur Straße verläuft und von Bäumen gesäumt wird. Ihm muss man folgen. Nach dem Friedhof und dem Fluss Moro, durchquert man auf der Landstraße **Villamoros de Mansilla** (auf der anderen Seite der Straße, auf einer Anhöhe, liegt Lancia). Man verlässt Villamoros auf dem Seitenstreifen, um einige Meter weiter einen Weg zu nehmen, der durch einen Pappelwald führt. Der Fluss Porma fließt links von uns, bis er mit unseren Schritten zusammentrifft. Dann überquert man ihn auf einer großen Brücke mit 20 Bögen neben dem dichten Uferwald, nachdem man die Landstraße nach San Miguel de Escalada überquert hat. Man zieht duch **Puente de Villarente** und am Ausgang, nach der Tankstelle, nimmt man einen Weg rechts von der N-601. Man überquert den Kanal des Porma und geht in Richtung einer kleinen Anhöhe auf der **Arcahueja** liegt. Nach 1 km kommt man nach **Valdefuente**. Von dort aus geht man zur Straße zurück, auf der man auf den Alto del Portillo steigt, hinter dem uns León erwartet. Eine parallele Asphaltpiste führt zur Stadt hinab. Man überquert die Autobahn auf einem Steg, um nach **Puentecastro** zu gelangen, das man in Richtung der Brücke über den Fluss Torio durchzieht (den Fluss überquert man auf einem Laufsteg) um endlich über die Straße Miguel Castaño nach León zu gelangen und durch die Straßen Barahona, Puerta de la Moneda, Rúa und Calle Ancha zur Kathedrale zu gehen.

RADFAHRER

Etappe ohne große Schwierigkeiten. Der Weg verlässt kaum die Landstraße N-120.

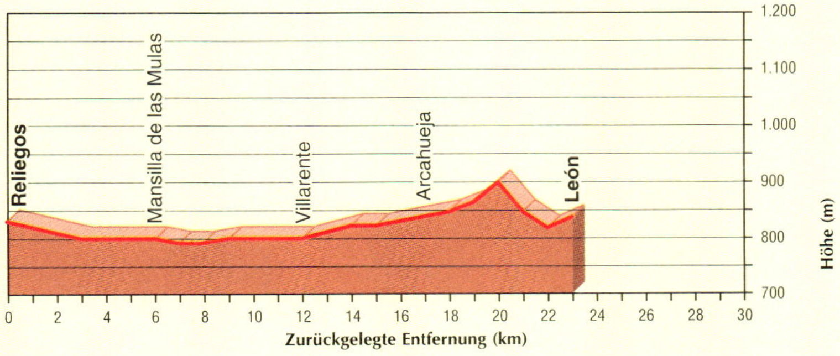

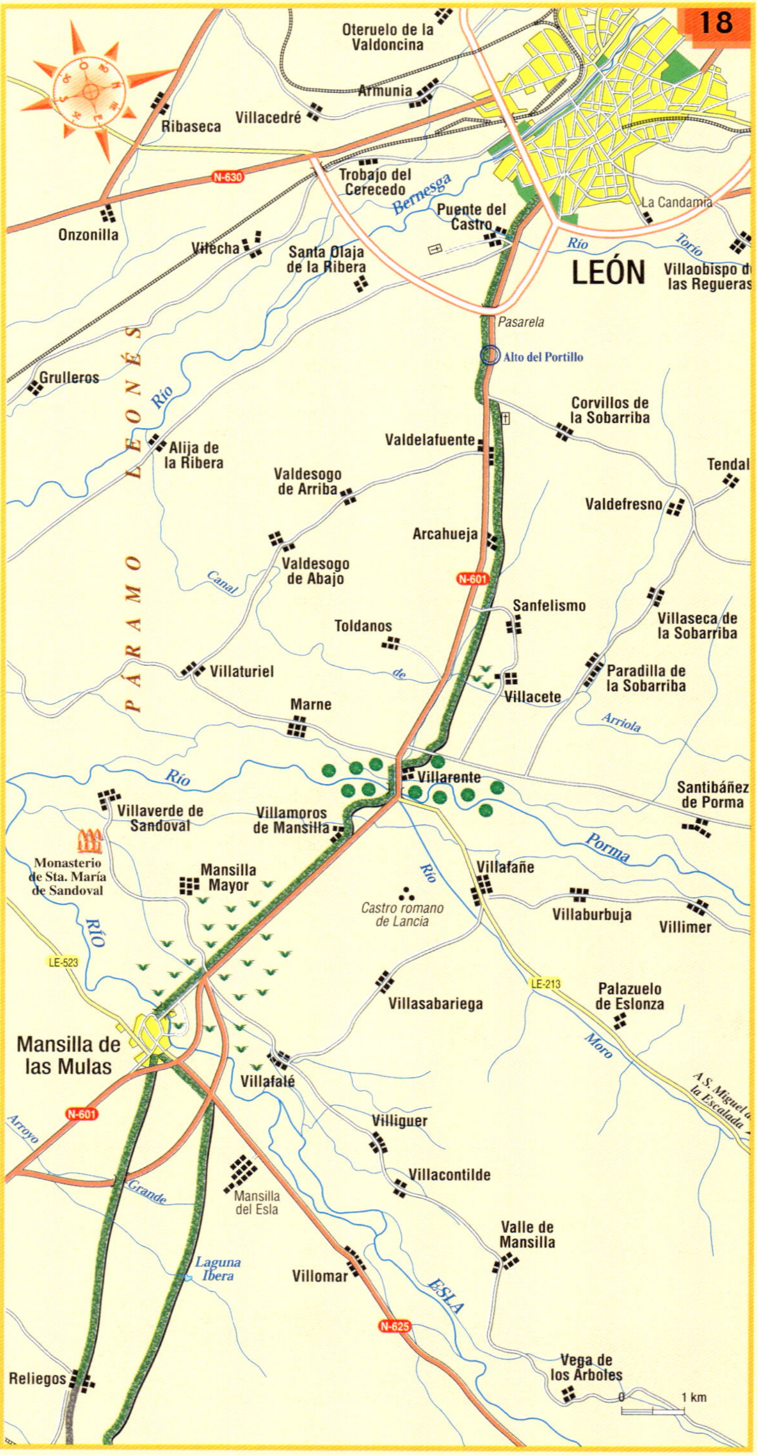
Oteruelo de la Valdoncina
Armunia
Villacedré
Ribaseca
N-630
Trobajo del Cerecedo
Bernesga
Puente del Castro
La Candamia
Onzonilla
Vilecha
Santa Olaja de la Ribera
Río
Torío
LEÓN
Villaobispo de las Regueras
Pasarela
Alto del Portillo
Grulleros
Río
PÁRAMO LEONÉS
Corvillos de la Sobarriba
Alija de la Ribera
Valdelafuente
Tendal
Valdesogo de Arriba
Valdefresno
Arcahueja
Valdesogo de Abajo
Canal
N-601
Sanfelismo
Villaseca de la Sobarriba
Toldanos
Villaturiel
de
Paradilla de la Sobarriba
Villacete
Marne
Arriola
Río
Villarente
Santibáñez de Porma
Villaverde de Sandoval
Villamoros de Mansilla
Porma
Monasterio de Sta. María de Sandoval
Mansilla Mayor
Río
Villafañe
Castro romano de Lancia
Villaburbuja
Villimer
Río
LE-523
LE-213
Palazuelo de Eslonza
Villasabariega
Mansilla de las Mulas
Moro
Villafalé
A S. Miguel de la Escalada
N-601
Arroyo
Villiguer
Villacontilde
Grande
Mansilla del Esla
Valle de Mansilla
Laguna Ibera
Villomar
ESLA
N-625
Reliegos
Vega de los Árboles
0
1 km

DER FRANZÖSISCHE WEG
ETAPPE 19. LEÓN – VILLADANGOS DEL PÁRAMO / VILLAR DE MAZARIFE

Wenn man die Straßen Renueva und Suero de Quiñones entlanggeht, gelangt man nach San Marcos. Von dort aus überquert man die Brücke über den Fluss Bernesga um geradeaus bis zu den Zuggleisen weiterzuwandern, die man auf einem Steg überquert. In **Trobajo del Camino**, das gänzlich mit León zusammengewachsen ist, biegt man nach links in eine Straße, die in die Landstraße N-120 mündet, um sie nach rechts zu überqueren und auf dem Weg Camino de la Cruz hinaufzusteigen, der zwischen Hallen hindurchführt und endlich, bevor man an die Tankstelle kommt, an der Landstraße anlangt. 4 km weiter kommt man nach **Virgen del Camino**. Am Ausgang, nachdem man das Heiligtum hinter sich gelassen hat, überquert man die N-120 links und geht parallel zu ihr weiter, bis man die Autobahn A-66 überquert. Dort erscheint eine Gabelung mit zwei Alternativen:

A) Nach **Villadangos del Páramo** auf einem neben der Landstraße N-120 eingerichteten Pfad zu ziehen, über **Valverde de la Virgen** und **San Miguel del Camino**. Nachdem man durch diese letzte Ortschaft gezogen ist, überquert man die Straße und geht immer in ihrer Nähe parallel zu ihr weiter. 8km weiter gelangt man nach **Villadangos del Páramo.**

B) Nach Villar de Mazarife zu wandern, über die Autobahn hinüber und dann in Richtung **Fresno del Camino**, einer Ortschaft, die im Tal liegt und die man nach rechts auf der Landstraße nach **Oncina de Valdoncina** verlässt, eine Straße die durch eine einsame Landschaft mit viel Gebüsch führt. Bevor man nach Oncina kommt, überquert man die Zuggleise und den Fluss gleichen Namens. Einmal in der Ortschaft angelangt, führt uns die Calle Real an den Ausgang, wo man eine landwirtschaftliche Piste nimmt, die auf die mit verstreuten Eichen bedeckte Hochebene hinaufsteigt. Nach etwa 5km erscheint **Chozas de Abajo.** Am Ausgang kommt man an einem Pappelwald vorbei und überquert einen Bach. Und auf einer Piste, zwischen bewässerten Feldern und Bewässerungskanälen, gelangt man nach **Villar de Mazarife**.

RADFAHRER

Für Radfahrer ist es trotz des Verkehrs am leichtesten, von Anfang an die N-120 bis **Virgen del Camino** zu nehmen. Von dort aus ist die erste Alternative in Richtung **Villadangos del Páramo** am bequemstem, wenngleich die zweite auch nicht allzu große Schwierigkeiten bietet.

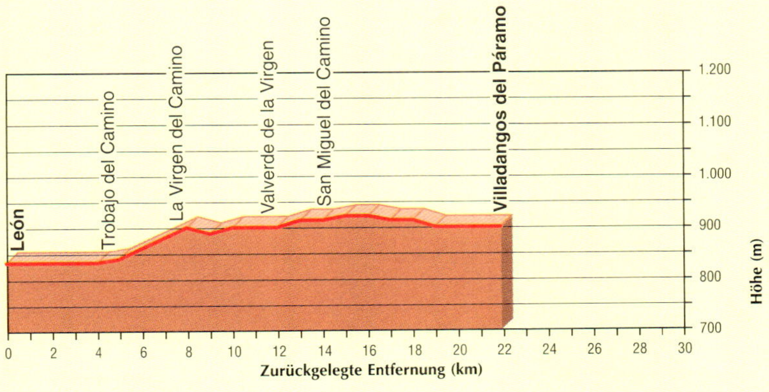

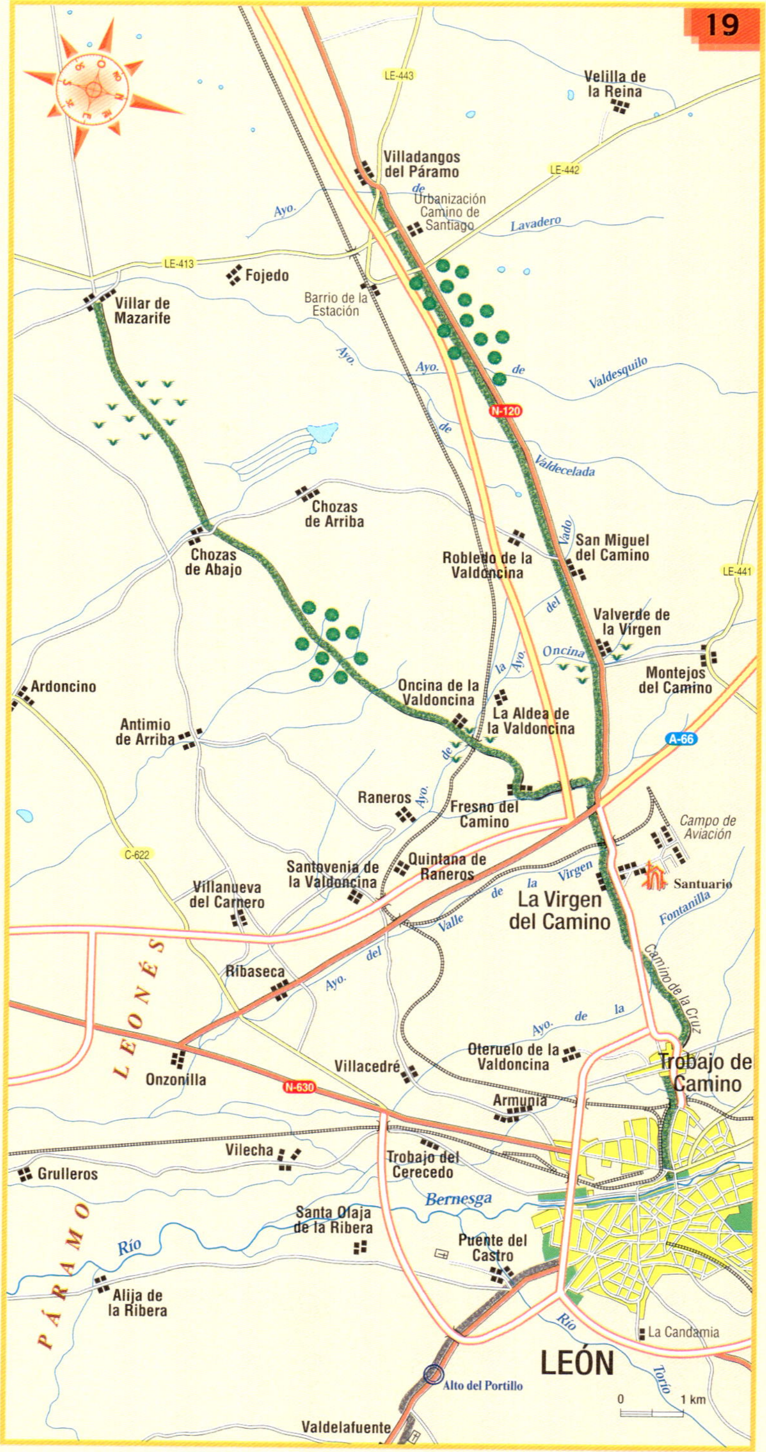
19
Velilla de la Reina
LE-443
LE-442
Villadangos del Páramo
Urbanización Camino de Santiago
Ayo. de Lavadero
LE-413
Fojedo
Villar de Mazarife
Barrio de la Estación
Ayo. de Valdesquilo
N-120
Ayo. de Valdecelada
Chozas de Arriba
Chozas de Abajo
Robledo de la Valdoncina
San Miguel del Camino
LE-441
Vado del Oncina
Valverde de la Virgen
Montejos del Camino
Ardoncino
Oncina de la Valdoncina
La Aldea de la Valdoncina
Ayo. de la
A-66
Antimio de Arriba
Raneros
Fresno del Camino
Campo de Aviación
Santuario
C-622
Santovenia de la Valdoncina
Quintana de Raneros
Villanueva del Carnero
Ayo. del Valle de la Virgen
La Virgen del Camino
Fontanilla
Camino de la Cruz
Ribaseca
Ayo. de la
Oteruelo de la Valdoncina
Trobajo del Camino
Onzonilla
N-630
Villacedré
Armunia
PÁRAMO LEONÉS
Vilecha
Grulleros
Trobajo del Cerecedo
Bernesga
Río
Santa Olaja de la Ribera
Puente del Castro
Alija de la Ribera
Río Torío
La Candamia
LEÓN
Alto del Portillo
0
1 km
Valdelafuente

DER FRANZÖSISCHE WEG
ETAPPE 20. VILLADANGOS DEL PÁRAMO / VILLAR DE MAZARIFE – ASTORGA

A) Nach ***Villadangos del Páramo*** kommt man durch einen frischen Pappelwald und an einem Bach vorbei, um dann einen Pfad zu nehmen, der parallel zur Landstraße N-120 verläuft. Nach **San Martín del Camino** führt der Jakobsweg zwischen bewässerten Feldern immer nahe dem Asphalt weiter in Richtung **Puente de Órbigo.**

B) **Villar de Mazarife** verlässt man auf der Kreisstraße, die von Pappelwäldchen und bewässerten Feldern (Mais und Zuckerrübenfelder) gesäumt wird, durch eine von zahlreichen Kanälen und Bewässerungsgräben durchfurchte Gegend. Man überquert die Landstraße nach San Martín und, wenn man **Villavante** schon erblickt, nimmt man eine Abzweigung in Richtung dieser Ortschaft, wenn man sie besuchen möchte. Nach Villavante und bevor man nach **Puente de Órbigo** kommt, überquert man die Zuggleise, die Autobahn »Jakobsweg« (Camino de Santiago) und die Landstraße N-120.

Wenn beide Routen einmal in einem einzigen Weg zusammengetroffen sind, kommt man über die herrliche Brücke nach **Hospital de Órbigo** und lässt die städtische Herberge am bewaldeten Ufer des Flusses Órbigo hinter sich.

Die Straße Camino de Santiago endet in einer Gabelung: die Landstraße geht nach links weiter und unsere Route nach rechts, durch eine Flurbereinigungspiste, die nach **Villares de Órbigo** führt. Von dort aus führt eine weitere Piste sanft zur Straße N-120 hinauf, ohne sie jedoch zu erreichen, denn man nimmt vorher einen Weg durchs Gebüsch, der auf eine Anhöhe steigt, um danach nach **Santibáñez de Valdeiglesias** hinunterzuführen. Von da aus steigt ein Weg auf den Hügel Monte de la Colomba, der mit Steineichen, Kastanienbäumen und einem Eichenwald bewachsen ist. Von dort aus sehen wir den Teleno im Südwesten und gegenüber von uns die Berge von León. Man überquert eine Landstraße und kommt an einer Nadelbaumpflanzug vorbei, wonach man ab dem Wegkreuz des Heiligen Toribio den Abstieg nach **San Justo de la Vega** beginnt. Aus dieser Ortschaft kommt man auf der Brücke über den Fluss Tuerto hinaus. Man verlässt die Landstraße und geht hinter ein paar Hallen und Häusern weiter. Man geht über die römische Brücke und überquert - wieder auf der Landstraße angelangt - die Zuggleise, um auf den Straßen Travesía de Minerva und Puerta del Sol nach **Astorga** hineinzugehen.

RADFAHRER

Ab **Hospital de Órbigo** ist die Landstraße N-120 die Alternative zu den Wegen die querfeldein führen.

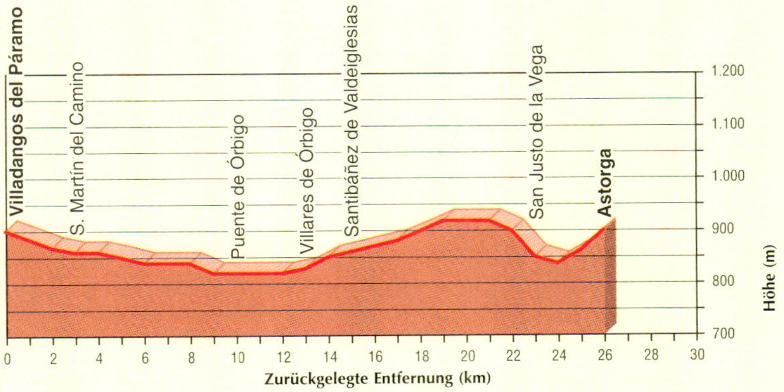

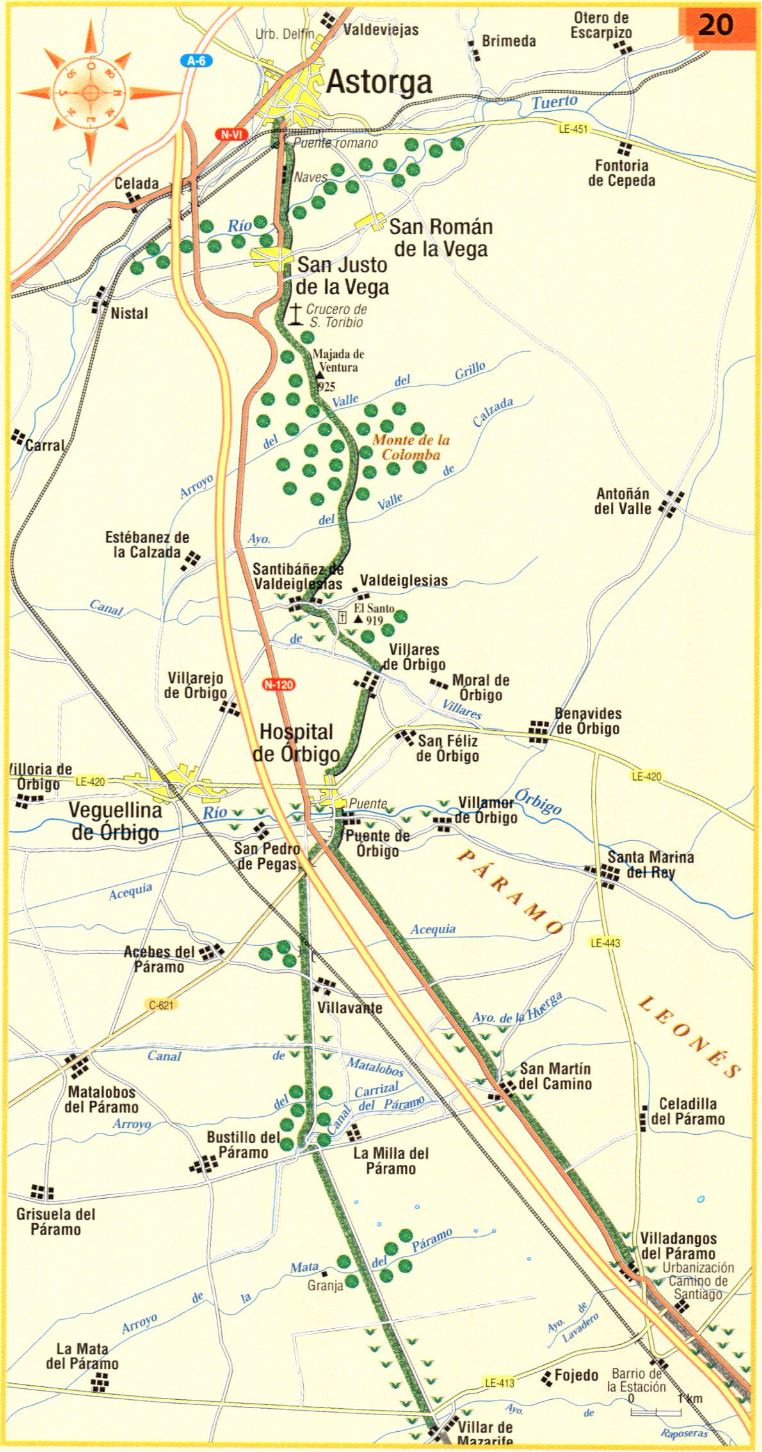
20
Astorga
Urb. Delfín
Valdeviejas
Brimeda
Otero de Escarpizo
A-6
N-VI
Tuerto
LE-451
Puente romano
Naves
Fontoria de Cepeda
Celada
Río
San Román de la Vega
San Justo de la Vega
Nistal
Crucero de S. Toribio
Majada de Ventura
925
Valle del Grillo
Monte de la Colomba
Calzada
Carral
Arroyo del Valle de Valle del Ayo.
Antoñán del Valle
Estébanez de la Calzada
Santibáñez de Valdeiglesias
Valdeiglesias
El Santo
919
Canal de Villares
Viljares de Órbigo
Moral de Órbigo
Villarejo de Órbigo
N-120
Hospital de Órbigo
Benavides de Órbigo
San Féliz de Órbigo
Villoria de Órbigo
LE-420
Veguellina de Órbigo
Río Órbigo
Puente
Villamor de Órbigo
San Pedro de Pegas
Puente de Órbigo
PÁRAMO LEONÉS
Santa Marina del Rey
Acequia
Acebes del Páramo
LE-443
C-621
Villavante
Ayo. de la Huerga
Canal de Matalobos
San Martín del Camino
Matalobos del Páramo
Carrizal
del Páramo
Canal
Celadilla del Páramo
Arroyo
Bustillo del Páramo
La Milla del Páramo
Grisuela del Páramo
Villadangos del Páramo
Urbanización Camino de Santiago
Mata del Páramo
Granja
Arroyo de la
Ayo. de Lavadero
La Mata del Páramo
LE-413
Fojedo
Barrio de la Estación
0
1 km
Ayo. de Raposeras
Villar de Mazarife

DER FRANZÖSISCHE WEG
ETAPPE 21. ASTORGA – RABANAL DEL CAMINO

Wenn man die Kathedrale als Ausgangspunkt nimmt, ist dies der Weg, der aus **Astorga** hinausführt: die Straßen Rúa de los Judíos, Poeta Leopoldo Panero, Esteban Carro Celada, San Pedro und Rúa de los Francos. Man überquert die Landstraße N-VI in Richtung Ponferrada und geht dann auf den von Bäumen gesäumten Bürgersteigen der Landstraße LE-142 in Richtung **Murias de Rechivaldo**, lässt Valdeviejas rechts hinter sich und kommt an der Kapelle des »Ecce Homo« vorbei. Eine Brücke überquert die Autobahn und danach eröffnet ein Wegkreuz den Pilgerpfad, der am Asphalt entlang verläuft. Vor Murias liegen noch ein Pappelwald und der Fluss Jerga. Links führt ein Weg durch die »hintere« Seite dieser Ortschaft, auf der Straße Calle de la Iglesia. Am Ausgang verläuft der Jakobsweg neben einer Flurbereinigungspiste durch eine Landschaft mit kleinen, mit Steineichen, Ginster, Nadelbaumpflanzungen und Eichen bewachsenen Hügeln. Rechts geht die Landstraße nach Castrillo de Polvazares weiter. (Wenn man möchte, kann man einen Umweg machen, um dieses schöne Dorf kennenzulernen). An dem Punkt, an dem die Straße nach Santa Colomba de Somoza abbiegt, muss man sie überqueren, um auf einer asphaltierten Piste bis **Santa Catalina de Somoza** weiterzuwandern, das man auf seiner Hauptstraße, der Calle Real, durchquert. Am Ausgang nimmt man wieder denselben, parallel zum Asphalt verlaufenden Pfad in Richtung **El Ganso**, eine Ortschaft, die 4,5 km entfernt liegt und durch die man auf der Landstraße zieht. Wenn man sie verlässt, fängt die Landschaft an sich mit Eichen zu bedecken. Zwei Kilometer weiter endet unser Pfad und man muss auf dem Asphalt weiterwandern, durch Heidekraut und Nadelbaumpflanzungen. **Rabanal del Camino** erscheint am Horizont. Vorher muss man die Abzweigung nach Rabanal el Viejo hinter sich lassen, die am römischen Bergwerk »La Fucarona« vorbeiführt, und den Bach Reguerinas auf der Brücke Pañote überqueren. Vor der Ortschaft liegt ein Eichenwald, aus dem aufgrund ihrer Größe und ihres Alters, die sogenannte »Pilgereiche« (Roble del Peregrino) herausragt. Am Eingang des Dorfes, dort wo man die LE-142 überquert, erscheint die Kapelle des Heiligen Christus (Ermita del Santo Cristo). Von hier aus muss man von der Landstraße aus nach rechts gehen und die Dorfstraßen, die den »Pilgerweg« formen, hinaufwandern.

RADFAHRER

Die gesamte Route dieser Etappe ist für Fahrräder befahrbar.

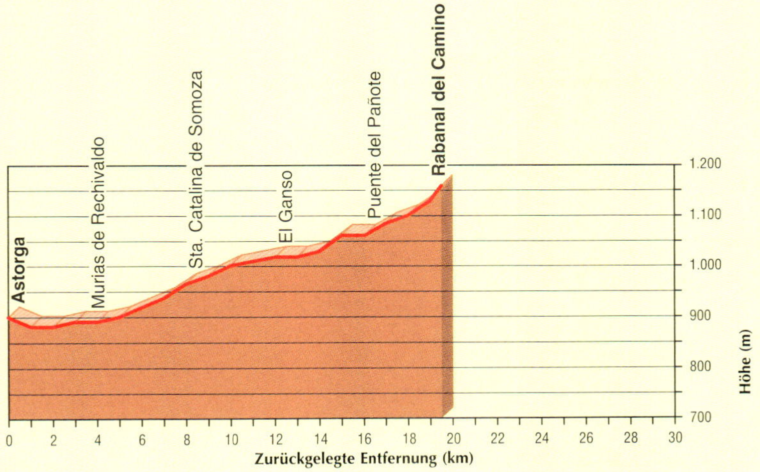

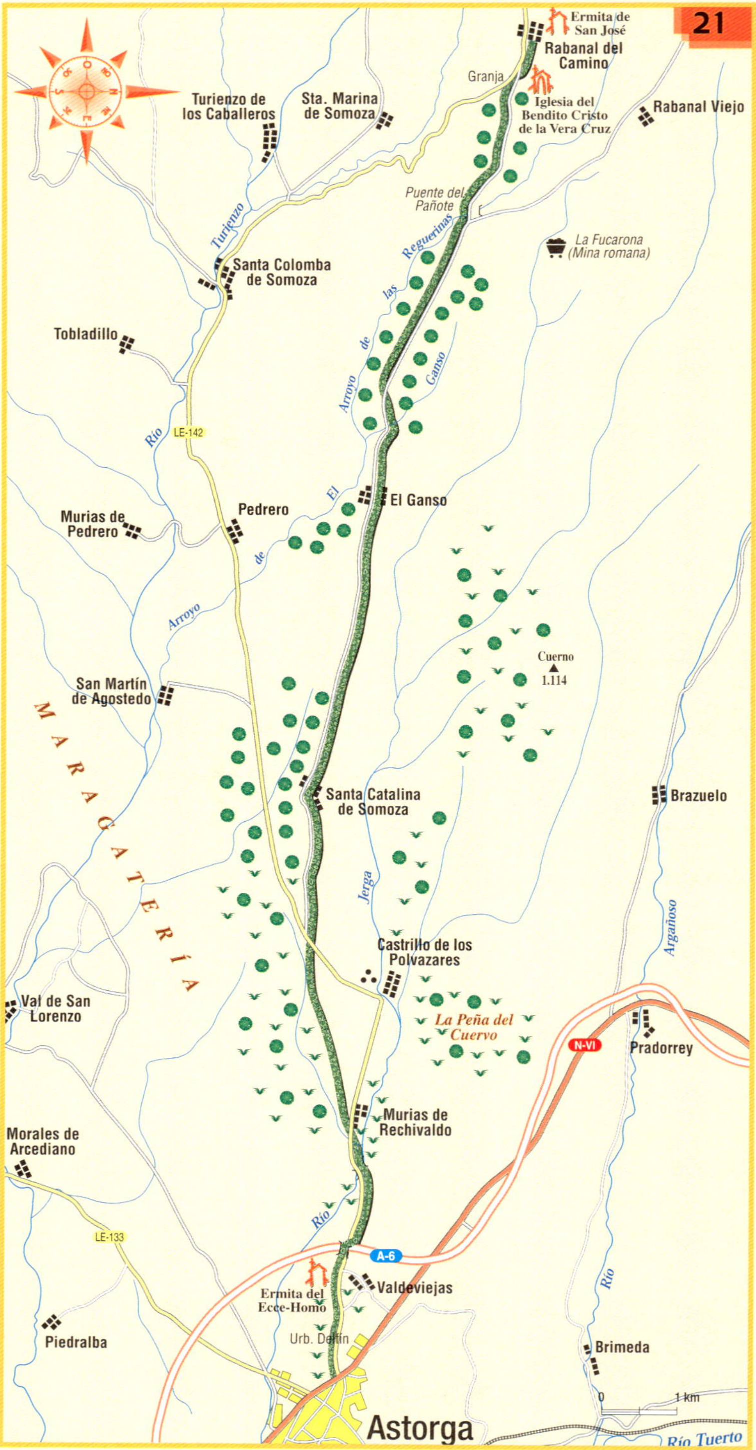

21
Ermita de San José
Rabanal del Camino
Granja
Iglesia del Bendito Cristo de la Vera Cruz
Rabanal Viejo
Turienzo de los Caballeros
Sta. Marina de Somoza
Puente del Pañote
La Fucarona (Mina romana)
Río Turienzo
Arroyo de las Reguerinas
Santa Colomba de Somoza
Tobladillo
Ganso
LE-142
El Ganso
Pedrero
Murias de Pedrero
Arroyo de El
Cuerno 1.114
San Martín de Agostedo
MARAGATERÍA
Santa Catalina de Somoza
Brazuelo
Jerga
Castrillo de los Polvazares
Argañoso
Val de San Lorenzo
La Peña del Cuervo
N-VI
Pradorrey
Murias de Rechivaldo
Morales de Arcediano
Río
LE-133
A-6
Ermita del Ecce-Homo
Valdeviejas
Río
Piedralba
Urb. Delfín
Brimeda
0
1 km
Astorga
Río Tuerto

DER FRANZÖSISCHE WEG
ETAPPE 22. RABANAL DEL CAMINO – PONFERRADA

Von der Mariä Himmelfahrts Kirche (Iglesia de la Asunción) aus, geht man zum Ausgang von **Rabanal** hinauf und nimmt einen Weg rechts von der Landstraße. Nach 1 km überquert man die Straße nach links und steigt auf einem Pfad hinauf. Nach einer Kurve kehrt man auf den Asphalt zurück und kommt zum wiedererstandenen **Foncebadón** (Brunnen), das man auf einem Weg verlässt, um nach einer Kurve wieder nach rechts zu kreuzen. Bevor man bei der **Cruz de Ferro** und der Jakobskapelle (Ermita de Santiago) anlangt, kommt man an einem Nadelwald vorbei. Von da aus nimmt man einen Pfad, der manchmal wegen des Pfriemkrauts schwer begehbar ist. **Manjarín** ist der nächste Ort, duch den man kommt (Brunnen am Ausgang). Ein Pfad führt links an der Straße entlang weiter, von dem aus man das Tal und die steilen Hänge der Berge von León betrachten kann. Auf der Straße steigt man auf einen mit Nadelbäumen bewachsenen Hügel mit einer großen Antenne hinauf, wonach man anfängt, mit Ponferrada am Horizont, hinabzusteigen. Rechts erspart uns ein kleiner Pfad eine Kurve. Kurz danach erscheint links ein Pfad mit einem äußerst steilen Abstieg nach **El Acebo**, das man auf seiner Hauptstraße Calle Real durchquert. Man nimmt die Landstraße (von ihr geht die Abzweigung nach Compludo aus) um sie wenig später nach links zu verlassen und zwischen Gebüsch nach **Riego de Ambrós** weiterzugehen. Wenn man einmal dort ist, biegt man nach rechts und steigt auf einem von Kastanienbäumen gesäumten Pfad in das Tal des Baches Prado Mangas hinab. Man überquert diesen, um zur Landstraße zurückzukehren, die man nach rechts verlässt, um zum Ufer des Flusses Pretadura hinabzusteigen, dann hinauf am Hang entlang zu wandern, bis man zur Landstraße nach **Molinaseca** hinabsteigt (vor dem Obst-und Gemüsegärten liegen) und in das man auf der Brücke über den Fluss Meruelo hineinkommt. Die Route durch das Städchen führt über die Calle Real und die Straßen Rúa del Cristo (Wegkreuz) und Santiago. Man verlässt es auf dem Bürgersteig der Landstraße LE-142, nachdem man dem Hospital des Heiligen Rochus (San Roque) begegnet ist, das heute als Unterkunft für Pilger dient. Der Fluss fließt rechts und auf beiden Seiten der Straße gibt es Weingärten und Wallnussbäume. Nach etwas mehr als 1km erscheint eine Weggabelung:

A) Man kann **Ponferrada** auf den Bürgersteigen dieser Landstraße erreichen, nachdem man den Fluss Boeza und die Zuggleise überquert hat; durch die Straßen Molinaseca und Castillo kommt man zur emblematischen Burg.

B) Man kann auch einen Weg nach links nehmen, der nach **Campo** hinabführt (römischer Brunnen) und von dort aus über eine asphaltierte Piste auf der Straße münden und den Bach Moriscal auf der Brücke Escaril überqueren. Einmal in **Ponferrada** angekommen, überquert man die Brücke Mascarón über dem Fluss Boeza und geht auf der Straße Camino Bajo de San Andrés weiter, überquert die Zuggleise und erreicht die Brug durch die Straße Hospital.

RADFAHRER

Auf dieser Etappe kann man die ganze Zeit der Landstraße LE-142 folgen.

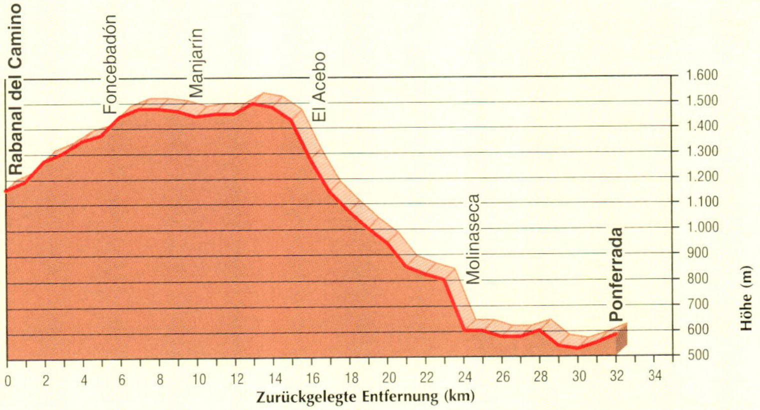

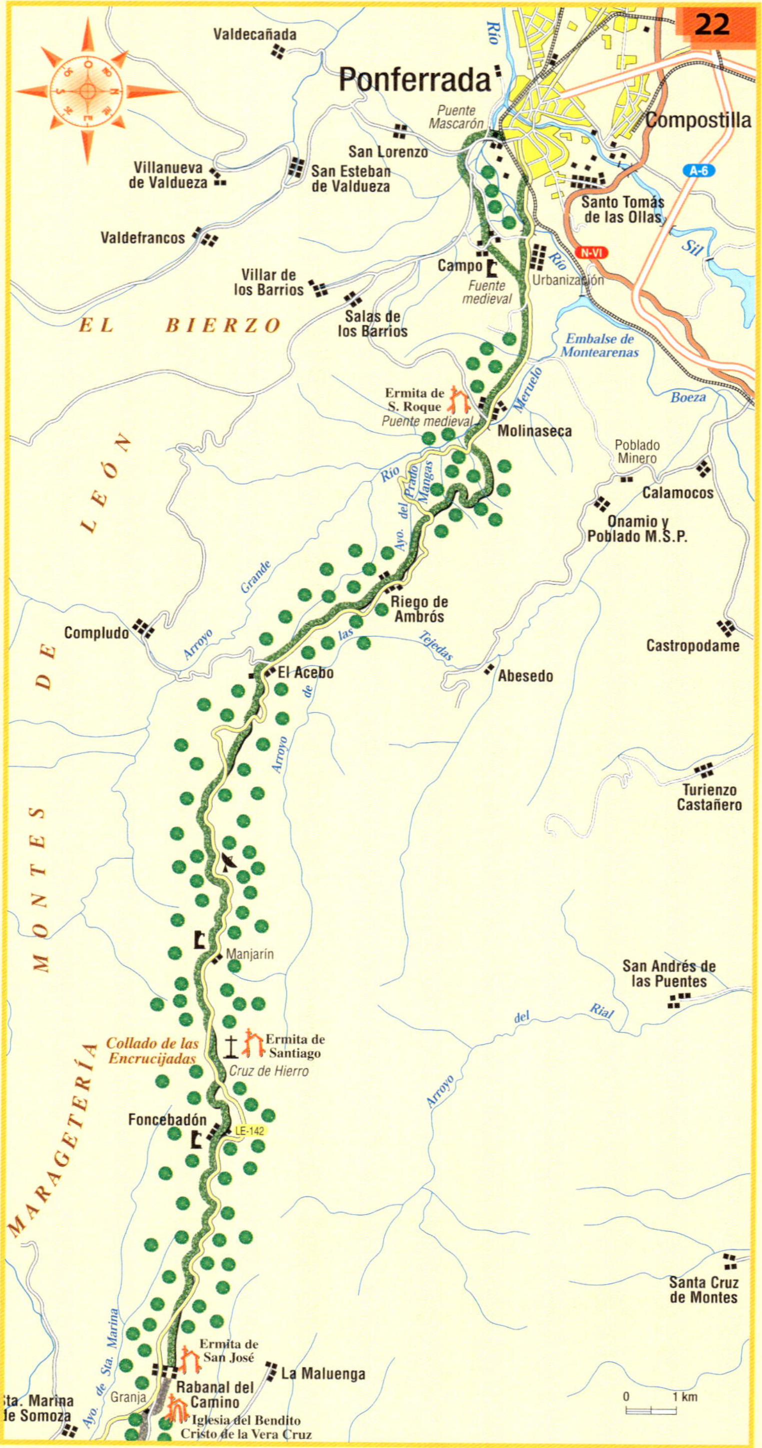

Ponferrada
Compostilla
Valdecañada
Río
Puente Mascarón
San Lorenzo
Villanueva de Valdueza
San Esteban de Valdueza
Santo Tomás de las Ollas
A-6
Valdefrancos
Sil
N-VI
Campo
Fuente medieval
Río
Urbanización
Villar de los Barrios
Salas de los Barrios
EL BIERZO
Embalse de Montearenas
Meruelo
Boeza
Ermita de S. Roque
Puente medieval
Molinaseca
Poblado Minero
MONTES DE LEÓN
Río
Ayo. del Prado Mangas
Calamocos
Onamio y Poblado M.S.P.
Grande
Riego de Ambrós
Compludo
Arroyo
las
Tejedas
Castropodame
El Acebo
Abesedo
de
Arroyo
Turienzo Castañero
Manjarín
San Andrés de las Puentes
del
Rial
Collado de las Encrucijadas
Ermita de Santiago
Cruz de Hierro
Arroyo
MARAGETERÍA
Foncebadón
LE-142
Santa Cruz de Montes
Sta. Marina
Ermita de San José
La Maluenga
Ayo. de Sta. Marina
Granja
Rabanal del Camino
Sta. Marina de Somoza
Iglesia del Bendito Cristo de la Vera Cruz
0
1 km

DER FRANZÖSISCHE WEG
ETAPPE 23. PONFERRADA – VILLAFRANCA DEL BIERZO

Von der Allee Paseo Huertas del Sacramento aus, nimmt man die Landstraße und geht auf ihrem Bürgersteig an den Einrichtungen der Elektrizitätsfirma ENDESA vorbei. Danach geht man die Straßen des Dorfes Compostilla entlang und am Ausgang kommt man durch einen Tunnel. Man geht zwischen Weinstöcken, bis man nach **Columbrianos** gelangt, wo man die Landstraße nach Villablino überquert. Man geht durch die Straßen De la Iglesia und Real, lässt die Kapelle des Heiligen Blas und des Heiligen Rochus (Ermita de San Blas und San Roque) hinter sich und verlässt die Ortschaft zwischen bewässerten Feldern und Bewässerungskanälen. Man nimmt eine Piste und kommt auf der Landstraße nach **Fuentes Nuevas**. Kurz danach befindet sich **Camponaraya**, das man auf der Landstraße durchquert. An seinem Ausgang nimmt man auf der Höhe der Genossenschaft (Erholungsgebiet) einen Weg, der auf einen Hügel steigt. Hinter der Brücke über die Autobahn, taucht das kleine Tal des Baches Magaz auf. Und man durchquert große Flächen mit Weingärten und zahlreiche Pappelwälder, bevor man durch die Straße *Calle de los Peregrinos* nach **Cacabelos** hineingeht. Man verlässt das Dorf nachdem man den Fluss Cúa überquert hat und an der Kapelle Nuestra Señora de las Angustias vorbeigekommen ist, und wandert erst auf dem Bürgesteig der LE-713 und dann auf dem Asphalt selbst weiter, inmitten einer Landschaft von Weingärten und Weinkellern. Man gelangt nach **Pieros** (links liegt Castrum Bergidum). Und danach verläuft die Landstraße durch das wellige Tal, in dem die Gebäude verstreut liegen. Wenn man an dem Bach Valtuilles vorbeikommt, nimmt man einen Weg nach rechts, auf dem man zwischen Weingärten, Obstbäumen und einigen Eichen und an mit Nadelbäumen bepflanzten Vorgebirgen vorbei, weitergehen muss. Links sieht man das fruchtbare Ufer des Flusses Burbia. Auf dem Weg Camino de la Virgen, nach mehr als 2km, kommt uns die städtische Herberge von **Villafranca del Bierzo** entgegen und kurz danch gelangt man an die Jakobskirche (Iglesia de Santiago) am Eingang des Städtchens.

RADFAHRER

Es gibt keine großen Schwierigkeiten und außerdem kann man der Landstraße N-IV folgen.

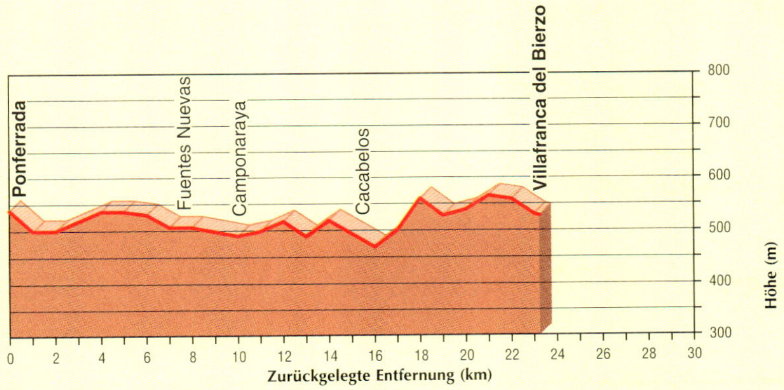

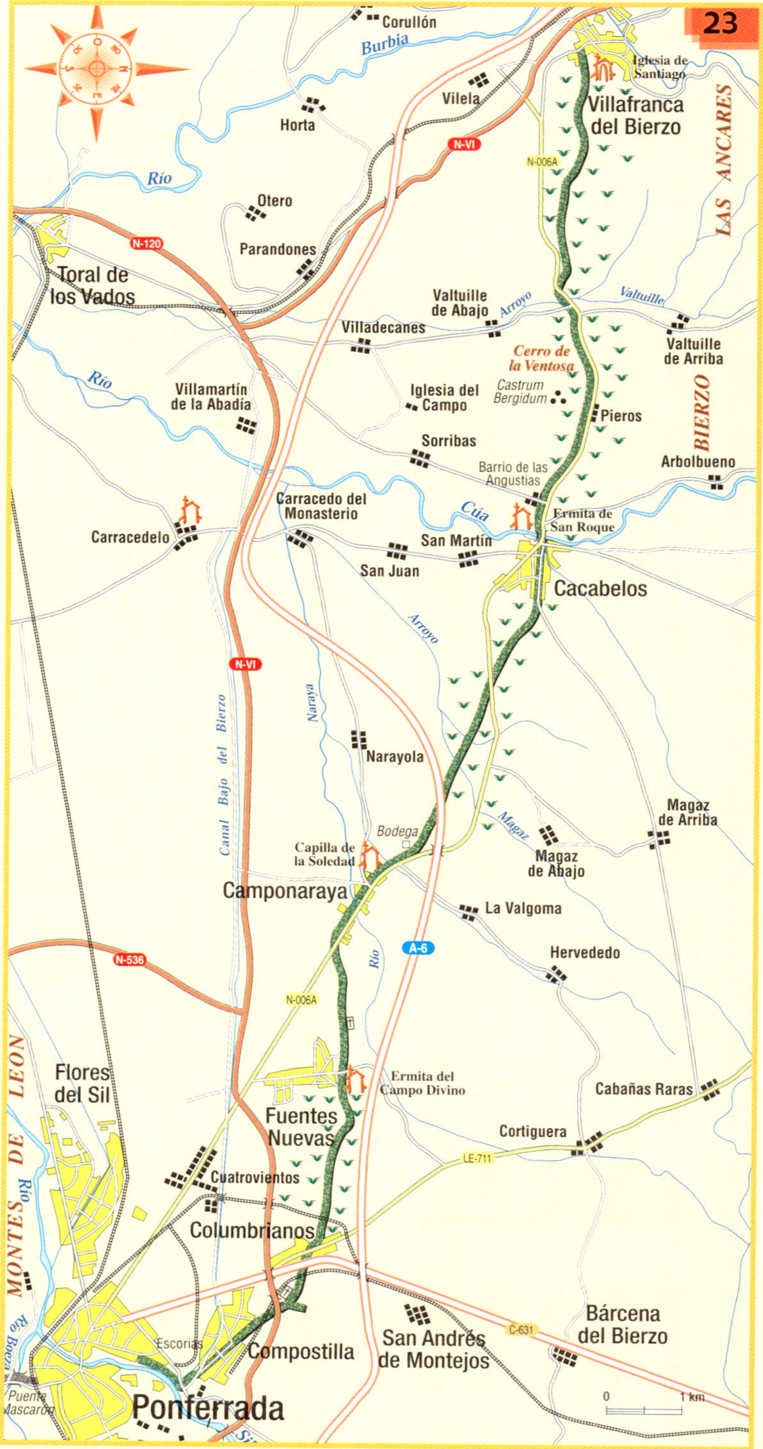
23
Corullón
Burbia
Vilela
Horta
Río
Otero
Parandones
N-VI
N-120
N-006A
Iglesia de Santiago
Villafranca del Bierzo
LAS ANCARES
Toral de los Vados
Valtuille de Abajo
Arroyo
Valtuille
Villadecanes
Valtuille de Arriba
Cerro de la Ventosa
Castrum Bergidum
Iglesia del Campo
Villamartín de la Abadía
Río
Pieros
BIERZO
Sorribas
Arbolbueno
Barrio de las Angustias
Carracedo del Monasterio
Cúa
Ermita de San Roque
Carracedelo
San Martín
San Juan
Cacabelos
Arroyo
Canal Bajo del Bierzo
Naraya
Narayola
Magaz de Arriba
Bodega
Magaz
Capilla de la Soledad
Magaz de Abajo
Camponaraya
La Valgoma
A-6
Hervededo
N-536
Río
N-006A
Ermita del Campo Divino
Flores del Sil
Cabañas Raras
Fuentes Nuevas
Cortiguera
MONTES DE LEON
LE-711
Río
Cuatrovientos
Columbrianos
Río Boeza
Bárcena del Bierzo
Escorias
Compostilla
San Andrés de Montejos
C-631
Puente Mascarón
Ponferrada
0
1 km

DER FRANZÖSISCHE WEG
ETAPPE 24. VILLAFRANCA DEL BIERZO – O CEBREIRO

Villafranca del Bierzo durchquert man auf der Straße Calle del Agua, die auf die Brücke über den Fluss Burbia mündet. Ab hier bieten sich uns zwei Alternativen:

A) Auf der steilen Straße Pradela beginnt man den Aufstieg zum Hügel Cerro Real, begleitet von einer Vegetation von Kastanienbäumen, einigen Nadelbäumen und Steineichen, Eichen, Ginster, Heidekraut, Farnkraut... Während der Route ist der Talgrund immer präsent, auf dem der Fluss Valcarce verläuft, sowie die Landstraße N-VI und der neue Verlauf der Autobahn A-6. Nach fast 3km geht man am Hang des Berges durchs Gebüsch entlang, bis man zwischen den schönen Kastanienbäumen hinabsteigt, mit Trabadelo bereits am Horizont, Pereje, das man im Tal gelassen hat, links und Pradela rechts. Man kommt zur ersten Weggabelung, an der man den Weg ausschlägt, der nach Pradela führt. Bei einer zweiten Kreuzung, führen zwar beide Alternativen zur Piste, auf der man dann hinuntersteigt, aber der Pfad links, der fast nicht markiert ist, ist direkter. Wenn man die Piste einmal erreicht hat, geht man auf ihr hinunter, wobei man sie manchmal verlässt um ihre Kurven zu vermeiden. Nach 10km kommt man nach **Trabadelo**.

B) Auf der Straße Concepción kommt man zur Landstraße N-VI, die uns über **Pereje** direkt nach **Trabadelo** führt. Ihre Route verläuft durch das enge und tiefe Tal des Flusses Valcarce und folgt seinem Lauf. Diese Straße war früher wegen ihres regen Verkehrs gefährlich, aber heute ist sie dank der Autobahn ein ruhigerer Weg.

Trabadelo verlässt man auf der alten N-VI, die verschiedene Male den Valcarce überquert und unter der Autobahn her führt. Hinter **Portela** führt die Straße em Ufer des Flusses neben dem Uferwald entlang. **Ambasmestas** taucht an einer Kurve auf. Und kurz danach liegt **Vega de Valcarce** neben dem alten Lauf der Straße. Nach **Ruitelán** und **Herrerías** (und dem Viertel **Hospital Inglés**) beginnt der gefürchtete Aufstieg auf einer asphaltierten Piste, obwohl man wenig später wieder hinabsteigt, um das Bett des Valcarce zu überqueren. Auf einem mit Steinplatten gepflasterten Weg beginnt man von Neuem den Aufstieg, zwischen Eichen, Kastanienbäumen und Farnen. Nach **La Faba** steigt der Jakobsweg weiter an und bevor man **Laguna de Castilla** erreicht (die letzte Ortschaft Leóns) geht man über ein paar Hänge mit Wiesen, Heidekraut und anderem Gebüsch. Am Ausgang dieses Dorfes nimmt man den Weg nach links. 1km weiter liegt die Grenze zwischen León und Galizien (Galicia) und von da muss man noch 152km durch Galizien wandern.

Kurz nach dem informativen Meilenstein, erreicht man **O Cebreiro**.

RADFAHRER

Für Radfahrer ist es besser, ab **Villafranca** der N-VI zu folgen, wobei man am km. 418 ihren alten Lauf nimmt. Ab **Herrerías** fährt man auf der asphaltierten Piste weiter, auf einem äußerst harten Aufstieg bis **O Cebreiro**.

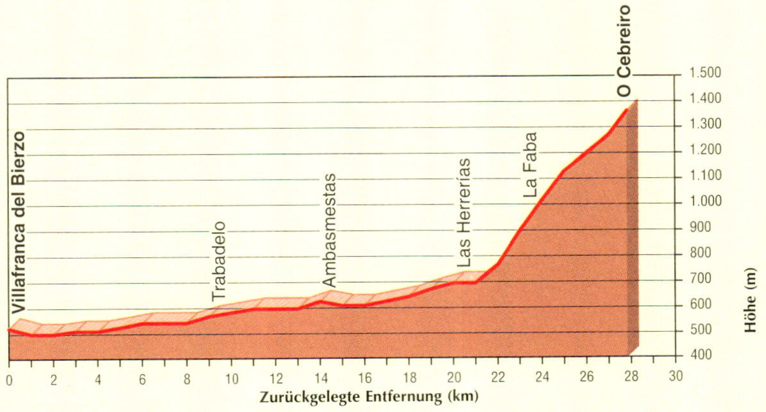

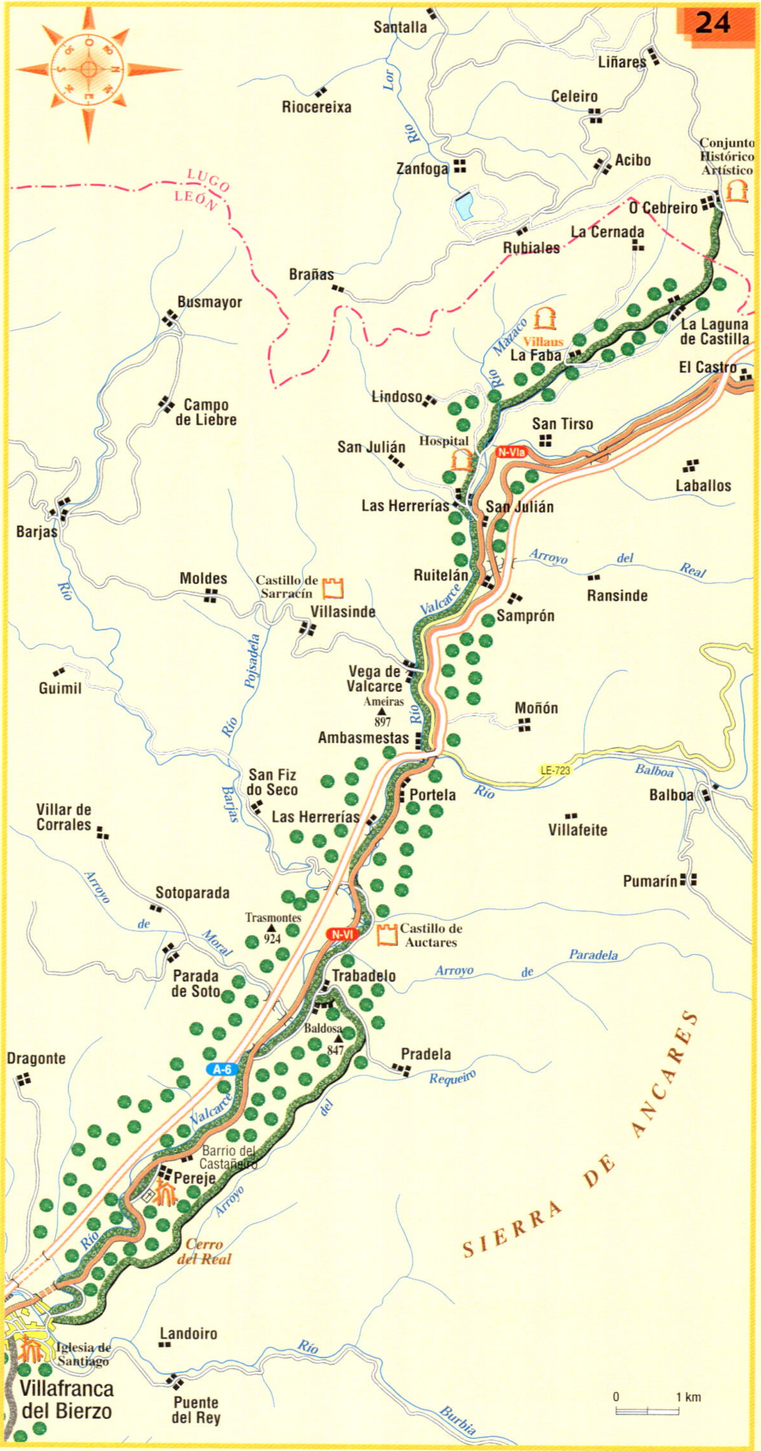
Santalla
Liñares
Riocereixa
Celeiro
Río Lor
Zanfoga
Acibo
Conjunto Histórico Artístico
LUGO
LEÓN
O Cebreiro
La Cernada
Rubiales
Brañas
Busmayor
La Laguna de Castilla
Río Mazaco
Villaus
La Faba
El Castro
Lindoso
Campo de Liebre
San Tirso
Hospital
San Julián
N-VIa
Laballos
Las Herrerías
San Julián
Barjas
Arroyo del Real
Ruitelán
Moldes
Castillo de Sarracín
Ransinde
Río
Villasinde
Sampróm
Valcarce
Guimil
Río Pojsadela
Vega de Valcarce
Ameiras
897
Moñón
Río
Ambasmestas
San Fiz do Seco
LE-723
Balboa
Barjas
Portela
Río
Balboa
Villar de Corrales
Las Herrerías
Villafeite
Arroyo de Moral
Sotoparada
Pumarín
Trasmontes
924
N-VI
Castillo de Auctares
Paradela
Arroyo de
Parada de Soto
Trabadelo
Baldosa
847
Dragonte
Pradela
Requeiro
A-6
Valcarce
del
Barrio del Castañeiro
Pereje
Arroyo
Río
Cerro del Real
SIERRA DE ANCARES
Landoiro
Iglesia de Santiago
Río
Villafranca del Bierzo
Puente del Rey
Burbia
0
1 km

DER FRANZÖSISCHE WEG
ETAPPE 25. O CEBREIRO – TRIACASTELA

Den Abstieg von **O Cebreiro** beginnt man hinter der Herberge auf einem Weg, der auf den von Pinien bedeckten Hängen des Monte Pozo de Aréa entlangschlängelt und letztendlich in einer Piste mündet. Diese biegt nach links in Richtung **Liñares** ab, wo man rechts die Straße überquert. Man kann auf dem Asphalt weitergehen oder ein Stück auf einer Piste hinabsteigen, um dann auf einem Pfad am Hang entlang zurückzukehren, an Wiesen, Stechpalmen und Haselnusssträuchern entlang parallel zur Landstraße wandern, bis man am Berg Alto de San Roque auf die Straße selbst kommt. Auf einem anderen Pfad rechts, geht man weiter bis zu **Hospital da Condesa**. Man verlässt es auf der Landstraße aber nach weniger als 150 Metern nimmt man die Abzweigung nach Sabugos und Temple, die man nach dem km. 144 verlässt, um auf einem Pfad links hinaufzusteigen. Nachdem man wieder mit der Landstraße zusammengetroffen ist, kommt man nach **Padornelo** (Kirche und Brunnen am Eingang), das man am Friedhof vorbei verlässt und geht den Aufstieg zum **Alto del Poio** an, wo man wieder auf die Landstraße zurückkehrt. Man geht auf ihr weiter, bis rechts ein paralleler Pfad erscheint (bei einer Pflanzung noch junger Nadelbäume). Nach 2,5 km. kommt man nach **Fonfría**. Kurz danach kommt man in den Gemeindebezirk von Triacastela. Man überquert die Straße nach links und geht zwischen Birken, Eichen, Stechpalmen, Farnen... bis nach **Biduedo**. Am Ausgang des Dorfes muss man über den nordwestlichen Hang des Berges Caldeirón wandern (im Tal sieht man einen Steinbruch). Man steigt den Berg nach **Filloval** hinunter, von wo man nachdem man die Landstraße überquert hat und nach links abgebogen ist, unter Eichen weiter hinabsteigt. Man überquert noch einmal die Straße, diesmal nach links und kommt nach **As Pasantes**. Durch eine »corredoira« (von Eichen und Kastanienbäumen) kommt man nach **Ramil** und kurz danach nach **Triacastela**.

RADFAHRER

Das Beste ist, am Ausgang von **O Cebreiro** die Landstraße zu nehmen und ihr bis **Triacastela** zu folgen.

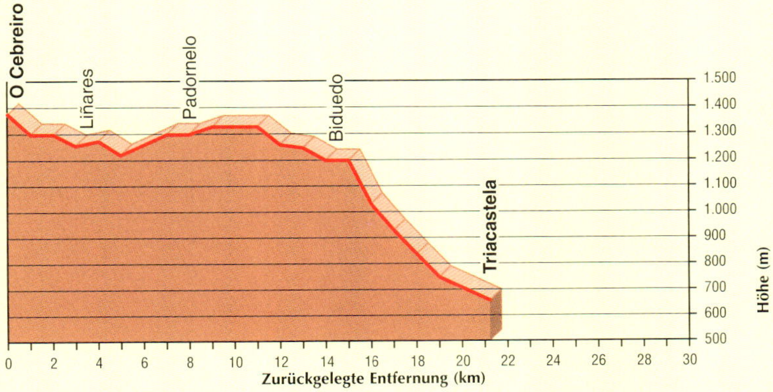

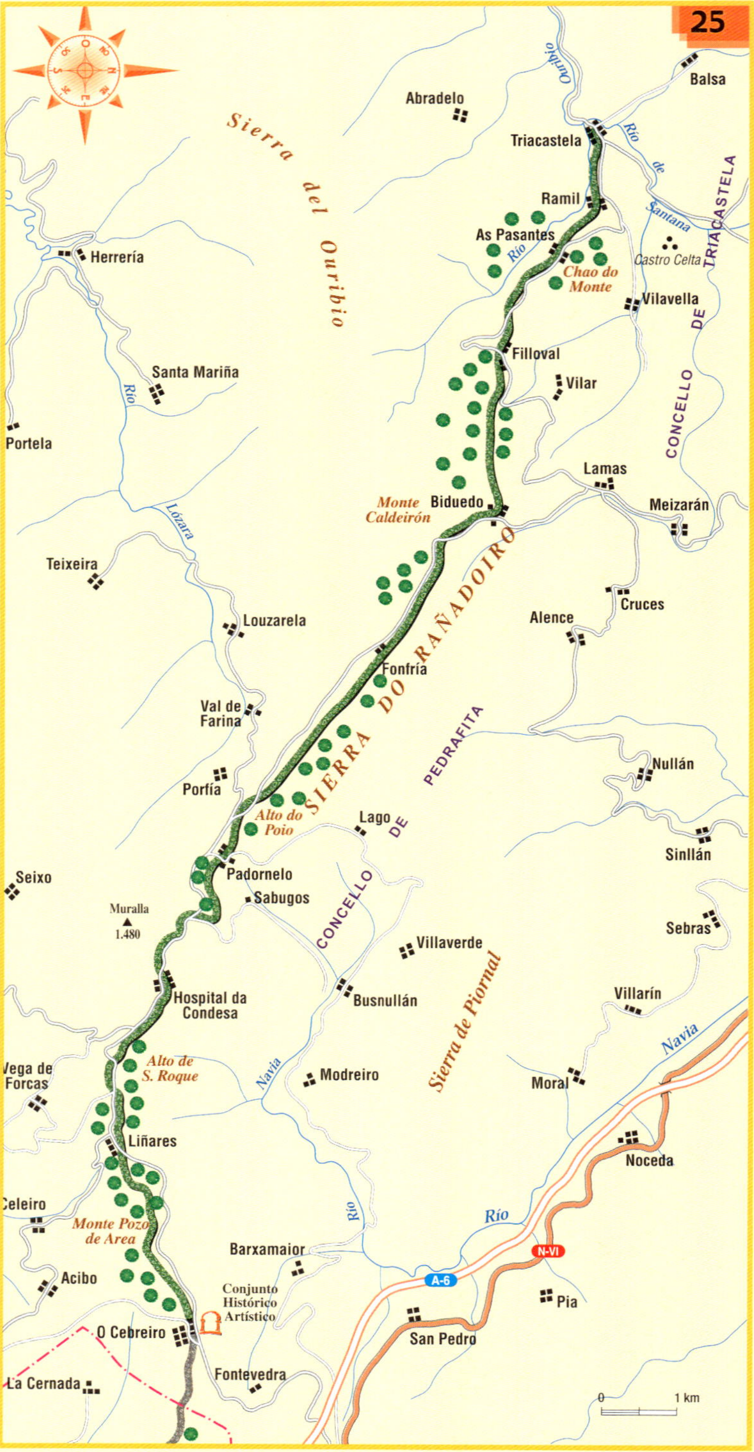

Sierra del Ouribio
Abradelo
Río Ouribio
Balsa
Triacastela
Río de Santana
Ramil
As Pasantes
Río
Chao do Monte
Castro Celta
CONCELLO DE TRIACASTELA
Vilavella
Herrería
Santa Mariña
Río
Filloval
Vilar
Portela
Lamas
Monte Caldeirón
Biduedo
Meizarán
Lózara
Teixeira
SIERRA DO RAÑADOIRO
Cruces
Alence
Louzarela
Fonfría
Val de Farina
CONCELLO DE PEDRAFITA
Nullán
Porfía
Alto do Poio
Lago
Sinllán
Padornelo
Seixo
Sabugos
Muralla
1.480
Sebras
Villaverde
Sierra de Piornal
Hospital da Condesa
Busnullán
Villarín
Navia
Alto de S. Roque
Navia
Modreiro
Moral
Vega de Forcas
Liñares
Noceda
Celeiro
Monte Pozo de Area
Río
Río
Barxamaior
N-VI
A-6
Acibo
Conjunto Histórico Artístico
Pia
O Cebreiro
San Pedro
Fontevedra
La Cernada
0
1 km

DER FRANZÖSISCHE WEG
ETAPPE 26. TRIACASTELA – SARRIA

Am Ausgang von Triacastela muss man zwischen zwei Möglichkeiten entscheiden:
A) Nach rechts geht die Variante von San Xil, die nachher durch einen Weg am Bach Valdoscuro entlang führt, zwischen der Ufervegetation, Kastanienbäumen und Eichen. Wenn man **Balsa** erreicht hat, beginnt der Aufstieg. Auf einer asphaltierten Piste erreicht man einen Jakobspilgerbrunnen und lässt **San Xil** links hinter sich. Von dort aus geht man auf derselben Piste weiter und steigt zum Alto de Riocabo hinauf. Am Gipfel angekommen, nimmt man eine »Corredoira« nach rechts, auf der man sanft hinabsteigt, bis man mit einer Piste zusammentrifft und nach **Montán** kommt. Wenige Meter entfernt liegt **Fontearcuda**, von wo man weiter auf *Corredoiras* hinabsteigt, bis man einen Bach auf einem steingepflasterten Steg überquert. Man kommt auf der Landstraße in den Gemeindebezirk von Sarria und erreicht **Pintín** (im Hintergrund sieht man Sarria) und später, auf dem km. 117,5 auf der Landstraße, **Calvor**, wo beide Routen wieder zusammentreffen, um nach Sarria weiterzuführen.
B) Um das Kloster von Samos zu besuchen, muss man zur Landstraße gehen und auf ihr dem Flusslauf des Ouribio durch ein Tal, das tief in den Berg geschnitten ist, folgen, wobei uns Eichen, Birken, Ginster und andere Ufervegetation, sowie einige Kastanienbäume begleiten. Hinter der Brücke, nach weniger als 3km., geht man auf die rechte Seite der Straße hinüber, um auf einer asphaltierten Piste nach **San Cristobo do Real** hinabzusteigen. Dort überquert man den Fluss und kommt auf einem von Kastanienbäumen und Eichen gesäumten Weg zum Friedhof. Man überquert mehrere Male den Fluss wenn man durch **Renche, Lastres** und **Freituxe** zieht, lässt **San Martiño do Real** rechts hinter sich und überquert die Landstarße LU-643, um auf einem Pfad nach **Samos** hinabzusteigen. Nachdem man das Kloster besucht hat, geht man Richtung des Parks am Ufer des Ouribio weiter und wandert auf einem für die Pilger eingerrichteten Kiesweg, der mit Bänken und mit zahlreichen Rastplätzen ausgestattet ist und von kleinen Bäumen gesäumt wird, an der Landstraße entlang. Man lässt Foxos, Ferreira, Teiguín und Sancobade hinter sich. Links erscheint eine Straße, die nach **Pascáis** führt. Und hier muss man wieder entscheiden, ob man an der Landstraße entlang bis nach Sarria gehen will oder durch die *Corredoiras* zwischen winzigen Weilern wandern möchte (**Gorolfe, A Veiga de Reiriz, Sivil** und **Perros**) bis man in Calvor auf die Alternativroute über San Xil trifft.
Wenn man **Calvor** verlässt und die Herberge auf dem km. 116,5 hinter sich gelassen hat, wandert man an der Landstraße über **Aguiada, San Mamede, San Pedro do Camiño** und **Vigo** entlang, bevor man Sarria erreicht. Dort überquert man die Brücke über den Ouribio und kommt auf der Straße Rúa do Peregrino und über die Freitreppe zur Hauptstraße Rúa Mayor.

RADFAHRER

Die Variante über Samos ohne jemals die Landstraße LU-643 zu verlassen, ist die beste.

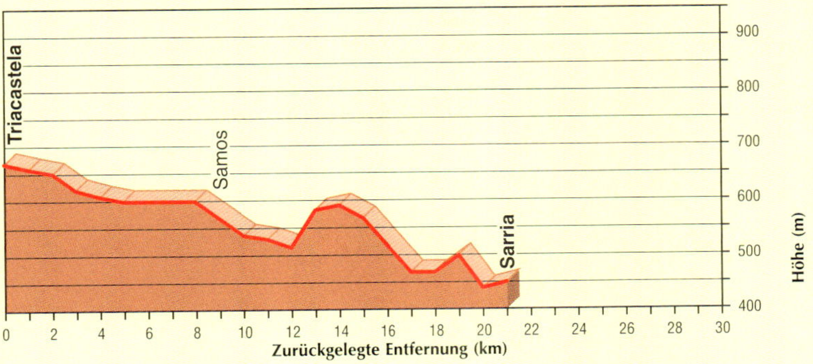

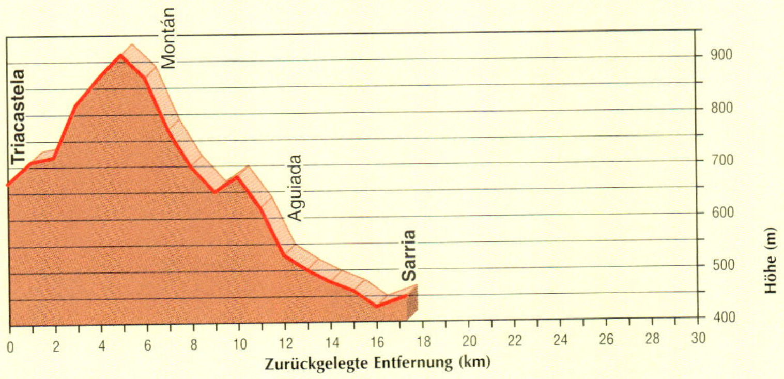

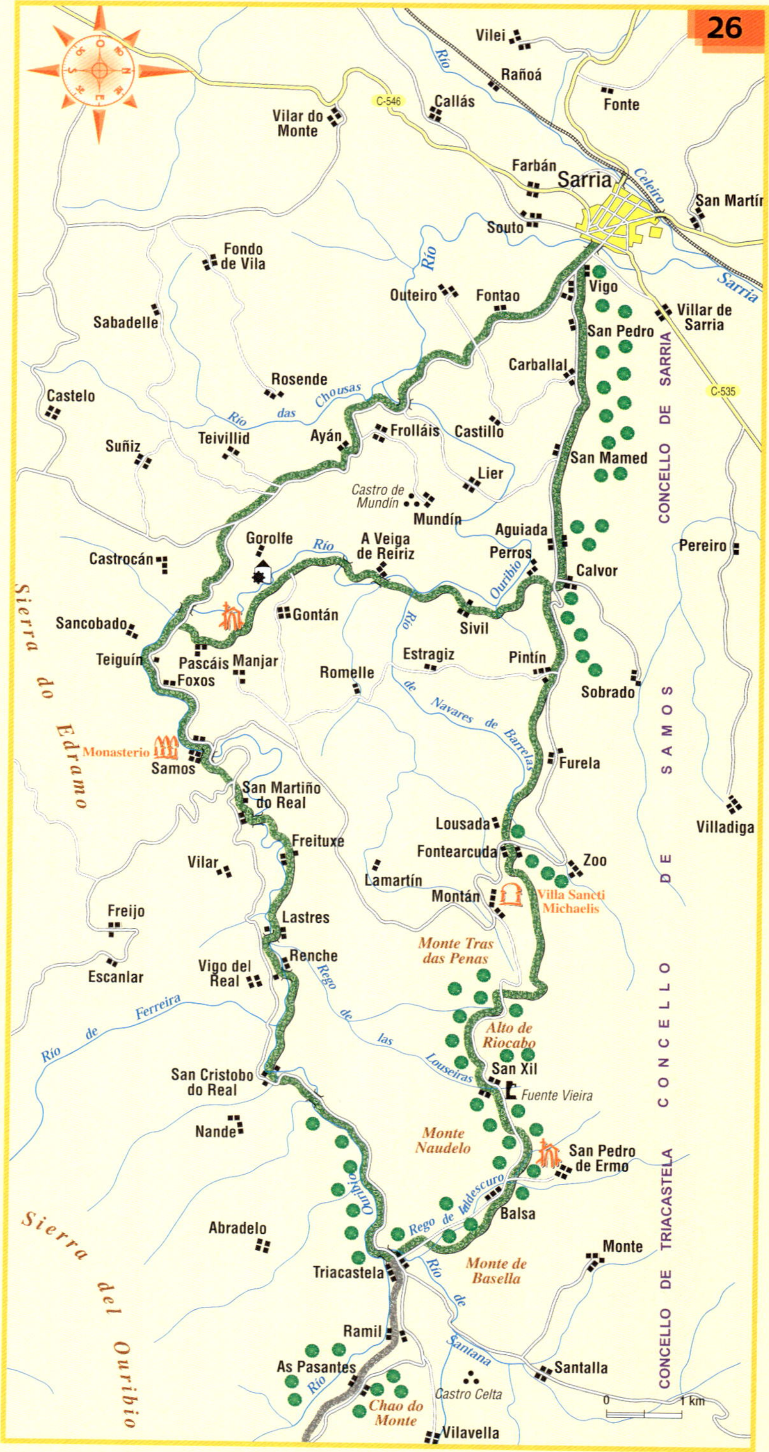
26
Vilei
Río
Rañoá
Callás
C-546
Fonte
Vilar do
Monte
Farbán
Sarria
Celeiro
San Martín
Souto
Sarria
Fondo
de Vila
Río
Outeiro
Fontao
Vigo
Villar de
Sarria
Sabadelle
San Pedro
Carballal
C-535
Rosende
Castelo
Río das Chousas
Ayán
Frolláis
Castillo
Suñiz
Teivillid
San Mamed
Lier
Castro de
Mundín
Mundín
CONCELLO DE SARRIA
Gorolfe
A Veiga
de Reiriz
Aguiada
Perros
Pereiro
Castrocán
Río
Calvor
Ouribio
Sierra do Edramo
Gontán
Sivil
Sancobado
Río
Teiguín
Pascáis
Manjar
Estragiz
Pintín
Foxos
Romelle
Sobrado
de Navares de Barrelas
Monasterio
Samos
Furela
San Martiño
do Real
CONCELLO DE SAMOS
Lousada
Villadiga
Freituxe
Fontearcuda
Zoo
Vilar
Lamartín
Montán
Villa Sancti
Michaelis
Freijo
Lastres
Monte Tras
das Penas
Renche
Vigo del
Real
Escanlar
Rego de las Louseiras
Río de Ferreira
Alto de
Riocabo
San Xil
San Cristobo
do Real
Fuente Vieira
Nande
Monte
Naudelo
San Pedro
de Ermo
Ouribio
Rego de Valdescuro
Balsa
Abradelo
Monte
Monte de
Basella
Triacastela
Río de Santana
Ramil
Santalla
As Pasantes
Río
Castro Celta
Chao do
Monte
0
1 km
Vilavella
Sierra del Ouribio
CONCELLO DE TRIACASTELA

DER FRANZÖSISCHE WEG
ETAPPE 27. SARRIA – PORTOMARÍN

Von der Hauptstraße Rúa Mayor aus, geht man zum Kloster der Heiligen Magdalena (Convento de la Magdalena) und von dort aus verlässt man die Stadt, indem man am Friedhof hinabsteigt. Wenn man zur Landstraße kommt, die Monforte de Lemos mit Lugo verbindet, geht man auf ihr weiter, bis man sie nach links verlässt und auf der Brücke »Ponte Áspera« den Fluss Celeiro überquert, an dem man einige Meter entlanggeht. Man überquert die Zugschienen (*Sancti Michaelis*) und kurz danach einen Bach. Man biegt, seinem Lauf folgend, nach rechts ab und entfernt sich von den Gleisen. Man steigt unter hundertjährigen Eichen, Birken und Kastanienbäumen bis zum Weiler **Vilei** hinauf, bei dem **Barbadelo** mit seiner Jakobskirche (Iglesia de Santiago) liegt. Man nimmt auf dem km. 100,5 eine Abzweigung links nach **Rente**. Auf dem Asphalt kommt man bis nach **Mercado da Serra**. Man überquert eine Piste und die Landstraße, die Sarria und Portomarín verbindet und kommt erst nach **Mouzós** und danach nach **Xisto, Domiz** und **Peruscallo**, sowie wenig später nach **Cortiñas** und **Lavandeira**, das man auf dem Asphalt verlässt. Man überquert den Bach Cheto um **Brea** zu erreichen. Man wandert über den Berg Mogarde weiter. Km. 100 **Mogarde**. Von Neuem durch eine *Corredoira*, überquert man den Bach Ferreiras und steigt nach **Ferreiros** hinauf, schon sehr nahe den Weilern **Mirallos** und **Pena**; auf dem Asphalt geht man nach **Couto** und **Rozas** weiter. Auf dem km. 96.5 nimmt man einen Weg nach rechts, der durch einen Pinienwald und zwischen Eichen zum Berg Pena do Cervo führt. Von dort steigt man nach **Moimentos** hinab. Auf der Straße und nachher auf einem Weg kommt man nach **Mercadoiro** und auf dem Asphalt nach **Moutras** (Fluss Bocelo). (Die Pinienpflanzungen sind sehr zahlreich). Die Landstraße mündet in eine andere. Man nimmt die Straße in Richtung Tellada, die man nach rechts auf einem Weg nach **Parrocha** verlässt. Von da geht man auf Asphalt weiter, um danach nach rechts in einen Weg einzubiegen, der nach **Vilachá** hineinführt, nachdem er die Landstraße überquert hat. In der Nähe von **Portomarín** muss man zur Brücke über den Fluss Miño gehen, an dessen Ufer man Überreste der alten Siedlung sehen kann. Einmal im Städtchen selbst, steigt man eine Treppe oder die Straße Sarria hinauf, in welche die Landstraße, die von Sarria kommt, übergeht.

RADFAHRER

Die Strecken durch die *Corredoiras* können gefährlich sein, wenn es Schlamm gibt. Die Alternative wäre die verschiedenen lokalen Pisten zu nehmen, die diese Weiler verbinden oder auf der Landstraße C-535 zu fahren, die direkt nach **Portomarín** führt.

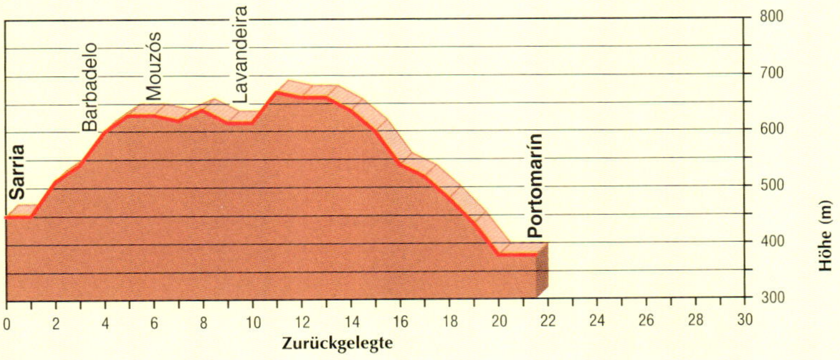

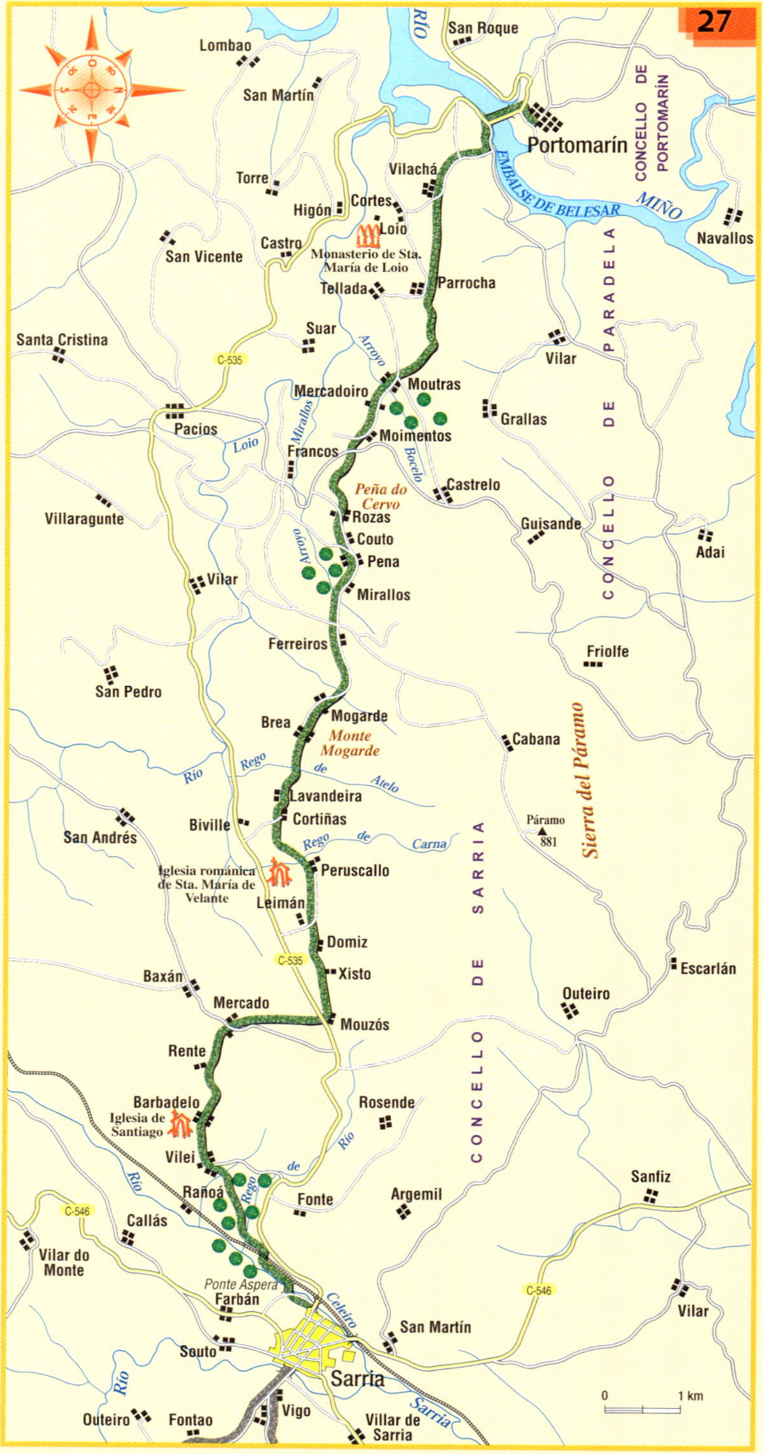
27
Río
San Roque
Lombao
San Martín
Portomarín
CONCELLO DE PORTOMARÍN
EMBALSE DE BELESAR
MIÑO
Navallos
Torre
Vilachá
Higón
Cortes
Loio
Castro
San Vicente
Monasterio de Sta. María de Loio
Tellada
Parrocha
Suar
Santa Cristina
C-535
Arroyo
Vilar
CONCELLO DE PARADELA
Mercadoiro
Moutras
Grallas
Pacios
Mirallos
Moimentos
Loio
Francos
Bocelo
Castrelo
Peña do Cervo
Villaragunte
Rozas
Guisande
Couto
Adai
Arroyo
Pena
Vilar
Mirallos
Ferreiros
Friolfe
San Pedro
Mogarde
Brea
Monte Mogarde
Cabana
Sierra del Páramo
Río
Rego
de
Atelo
Lavandeira
Cortiñas
Biville
San Andrés
Páramo
881
Rego
de
Carna
Iglesia románica de Sta. María de Velante
Peruscallo
Leimán
CONCELLO DE SARRIA
Domiz
C-535
Xisto
Escarlán
Baxán
Outeiro
Mercado
Mouzós
Rente
Rosende
Barbadelo
Iglesia de Santiago
Río
Vilei
de
Río
Rego
Sanfiz
Rañoá
Fonte
Argemil
C-546
Callás
Vilar do Monte
C-546
Vilar
Ponte Aspera
Farbán
Celeiro
San Martín
Souto
Sarria
Río
Sarria
Outeiro
Fontao
Vigo
Villar de Sarria
0
1 km

DER FRANZÖSISCHE WEG
ETAPPE 28. PORTOMARÍN – PALAS DE REI

Man steigt von **Portomarín** aus von Neuem zum Fluss Miño hinab und nimmt einen Pfad, der von der Landstraße C-135 ausgeht, um auf einem Steg die Talsperre Belesar zu überqueren. Auf einer asphaltierten Piste folgt man dem Lauf des Baches Torres und steigt den Hügel San Antonio hinauf. Auf dem km. 89 muss man nach links auf einem Weg abbiegen, auf dem man weiter unter Eichen, Kastanienbäumen und Pinien hinaufsteigt. In der Nähe ist die Landstraße, zu der man zurückkehrt, nachdem man den Fluss San Mamed überquert hat, um parallel zu ihr bis zum km. 87 zu wandern. Danach überquert man nach rechts (Keramikfabrik und Bauernhof). Auf beiden Seiten der Straße wachsen Pinienwälder. Kurz danach keht man auf der Höhe eines Bauernhofes auf die linke Seite zurück, und wandert zwischen Maisfeldern und Pinien weiter. Man kommt nach **Toxibo**. Am Ausgang des Dorfes geht man einige Meter an der Straße entlang, um am km. 83,5 eine Abzweigung zu nehmen. Wir werden von Birken und Eichen begleitet, sowie von Pinienwäldern und Maisfeldern. Nach einem Rastplatz mit einem Brunnen, erreicht man **Gonzar**, dessen Herberge links von der Landstraße C-135 liegt. Von hier aus biegt man auf einen Weg nach links ab und danach nach rechts und kommt auf einer Piste nach **Castromaior**. Auf dem km. 80 kommt man auf die Landstraße und geht auf ihr nach **Hospital da Cruz** weiter. Man kommt auf einem Weg in das Dorf und geht auf einer Asphaltpiste bergauf. Auf einem Steg überquert man die Landstraße N-540 und wandert nach **Ventas de Narón** weiter (am Ausgang gibt es einen Brunnen und einen Rastplatz). Man steigt durch Pinienwälder zur Sierra de Ligonde hinauf und von dort beginnt zwischen Eichen und Wiesen der Abstieg über **Prebisa, Os Lameiros** (Wegkreuz links) und **Ligonde.** Man steigt zum Fluss gleichen Namens hinab, den man überquert um nach **Eirexe** hinaufzuwandern. Man überquert die Landstraße nach Monterroso und steigt wieder hinunter. Nachdem man **Portos** verlassen hat, findet man die Abzweigung zur schönen romanischen Kirche Vilar De Donas. **Lestedo, Valos** und **Mamurria** sind dann die nächsten Weiler. Und nun tauchen die ersten Eukalyptusbäume auf. Hinter **Brea** wandert man über **Lamelas** auf einem zur Straße parallelen Weg weiter. Man steigt auf den Alto do Rosario und beim Abstieg findet man auf dem km.66,5 einen neuen Rastplatz neben den Sportinstallationen und dem Jugendzeltlager von **Palas de Rei**. Von dort geht man in die Ortschaft hinein, in Richtung der Kirche des Heiligen Tirsus (Iglesia de San Tirso).

RADFAHRER

Es gibt keine großen Schwierigkeiten, mit Ausnahme der Auffahrt zum Hügel Monte San Antonio.

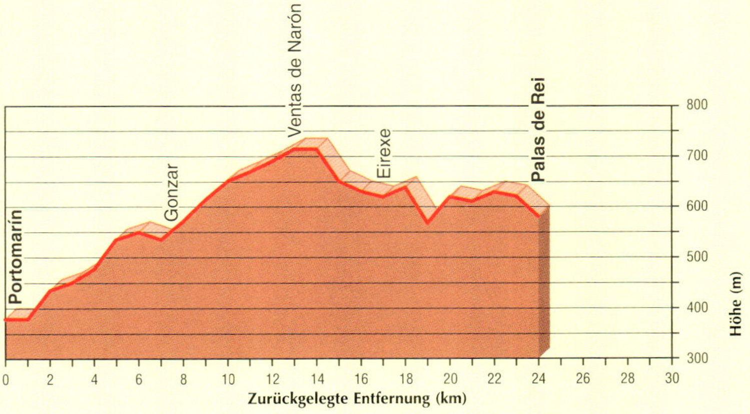

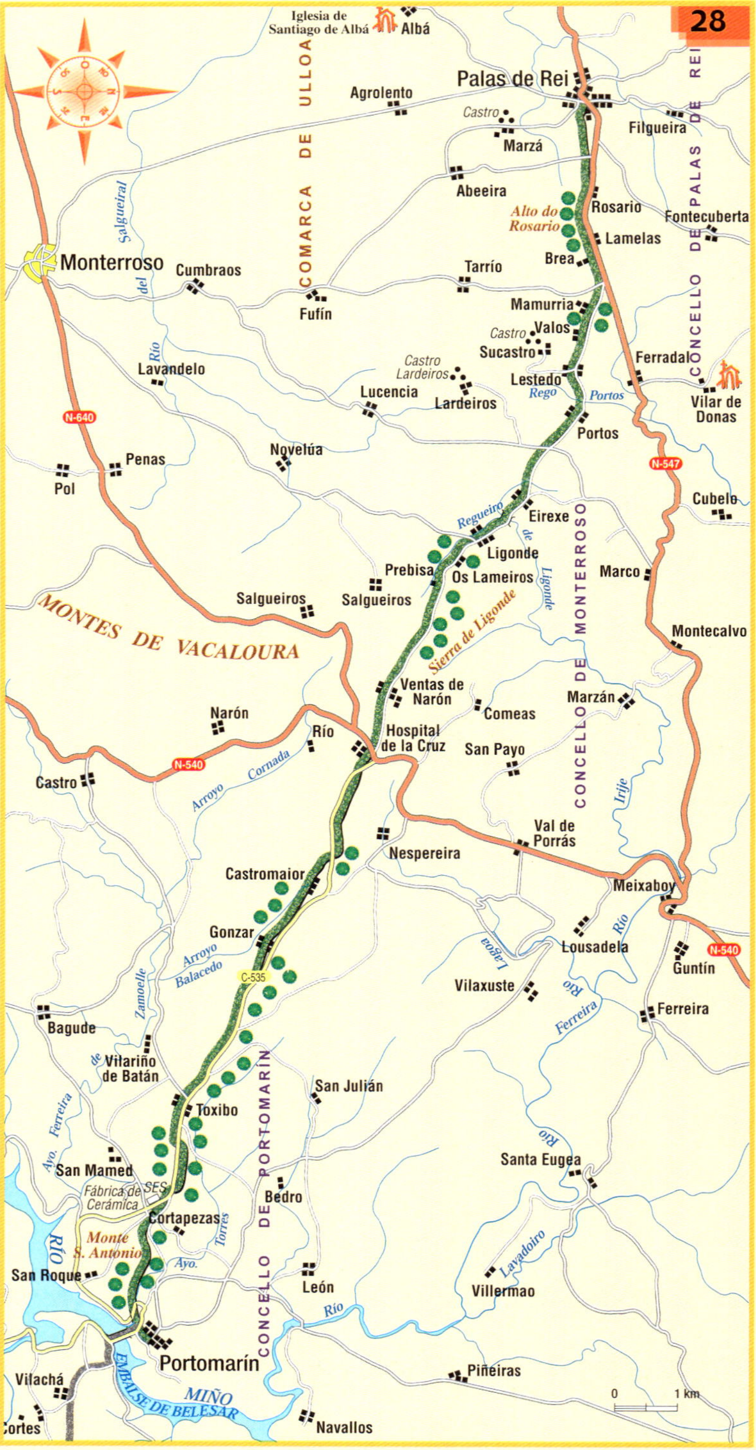
28
Iglesia de Santiago de Albá
Albá
Palas de Rei
Agrolento
Castro
Marzá
Filgueira
Abeeira
Alto do Rosario
Rosario
Fontecuberta
Lamelas
Brea
Monterroso
Cumbraos
Fufín
Tarrío
Mamurria
Castro
Valos
Sucastro
Ferradal
Castro Lardeiros
Lardeiros
Lucencia
Lestedo
Rego
Portos
Portos
Vilar de Donas
Lavandelo
Río del Salgueiral
N-640
Penas
Pol
Novelúa
N-547
Cubelo
Regueiro de Ligonde
Eirexe
Ligonde
Os Lameiros
Prebisa
Salgueiros
Salgueiros
Marco
MONTES DE VACALOURA
Sierra de Ligonde
Montecalvo
Ventas de Narón
Comeas
Marzán
Narón
Río
Hospital de la Cruz
San Payo
Castro
N-540
Arroyo Cornada
Irije
Val de Porrás
Nespereira
Castromaior
Meixaboy
Gonzar
Arroyo Balacedo
Lagoa
Lousadela
Río
N-540
Guntín
C-535
Vilaxuste
Río Ferreira
Ferreira
Bagude
Zamoelle
Vilariño de Batán
San Julián
Toxibo
Ayo. Ferreira
San Mamed
Fábrica de Cerámica
SES
Santa Eugea
Río
Bedro
Cortapezas
Monte S. Antonio
Ayo. Torres
Río
San Roque
León
Lavadoiro
Villermao
Río
Portomarín
Vilachá
MIÑO
EMBALSE DE BELESAR
Piñeiras
Cortes
Navallos
0
1 km
COMARCA DE ULLOA
CONCELLO DE PALAS DE REI
CONCELLO DE MONTERROSO
CONCELLO DE PORTOMARÍN

DER FRANZÖSISCHE WEG
ETAPPE 29. PALAS DE REI – RIBADISO

Von der Kirche des heiligen Tirsus aus geht man die Straßen Travesía de la Iglesia und Travesía del Peregrino hinunter zur Landstraße N-547. Man geht etwa 100m auf dem Bürgersteig und nimmt dann einen Weg nach rechts, um den Fluss Ruxián zu überqueren und am km.64 auf die Straße zurückzukehren. Wenig später kommt man nach **Carballal**. Man wandert eine *Corredoira* hinab und kommt durch **Alagua**. Und auf einer kleinen Straße und danach auf einem Weg, wandert man nach **San Xulián do Camiño** hinein. Man geht wieder auf einer Piste bis **Pallota** und auf einer *Corredoira* überquert man den Fluss Pambre in **Outeiro da Ponte**. Wenn man nach **Pontecampaña** kommt, nimmt man einen Weg, der nach **Casanova** hinaufführt, km. 60, von wo man über **Porto de Bois** zur fruchtbaren Ebene des Flusses Villar hinabsteigt. 1km entfernt befindet sich Campanilla, wo man die Landstraße nimmt und kurz danach kommt man in die Provinz A Coruña. Auf einen mit Steinen gepflasterten Weg geht man nach **Leboreiro** hinein. In **Disicabo** überquert man den Fluss Seco auf der Magdalenenbrücke (Puente de la Magdalena) und erreicht **Furelos** auf einer Piste, die durch eine bewaldete Gegend führt. In Richtung **Melide** überquert man den Fluss Furelos. Man geht nach Melide durch das Viertel des Heiligen Petrus (Barrio de San Pedro) und auf der Hauptstraße hinein und verlässt es auf der N-547, die zum Viertel der Heiligen Maria (Barrio de Santa María) führt, von wo aus man die Abzweigung nach San Martiño nimmt. Am km. 50 biegt man nach rechts ab (Wegkreuz) und überquert den Fluss Lázaro in Richtung **Carballal**. Man wandert duch einen Wald aus Eichen, Eukalyptusbäumen und Pinien und überquert den Fluss Barreiros. Kurz danach kommt man nach **Raído** und danach dringt der Jakobsweg wieder in den Wald ein. Man zieht über **Paravispo** und den Bach Valverde und steigt nach **A Peroxa** hinab. Auf einer Piste erreicht man **Boente**, wo man die Landstraße überquert, sowie eine alte Straße, während man durch einen Tunnel unter der N-547 hindurchgeht, um zum Ufer des Flusses Boente hinabzusteigen. Von dort wandert man nach **Castañeda** hinauf und geht an einigen Wiesen entlang, bis nach **Pedrido**. Man wandert nach **Río** (km.42) hinunter und überquert dort den Bach Ribeiral. Zwischen kleinen Gemüsegärten, Wiesen und Maisfeldern hindurch kommt man nach **Doroña**, von wo man unter Eukalyptusbäumen, Eichen und Pinien auf eine Anhöhe steigt, um dann wieder hinabzusteigen und den Einschnitt, durch den die Landstraße führt, auf einer Brücke zu überqueren. Beim Abstieg erreicht man den Fluss Iso, an dessen Ufer uns das alte Pilgerhospital von **Ribadiso** erwartet.

RADFAHRER

Der Weg auf dieser Etappe ist recht gut befahrbar. Wenn man es vorzieht auf Asphalt zu fahren, kann man die Landstraße N-547 am Ausgang von **Palas de Rei** nehmen und sie wieder verlassen, um nach **Ribadiso** hineinzufahren.

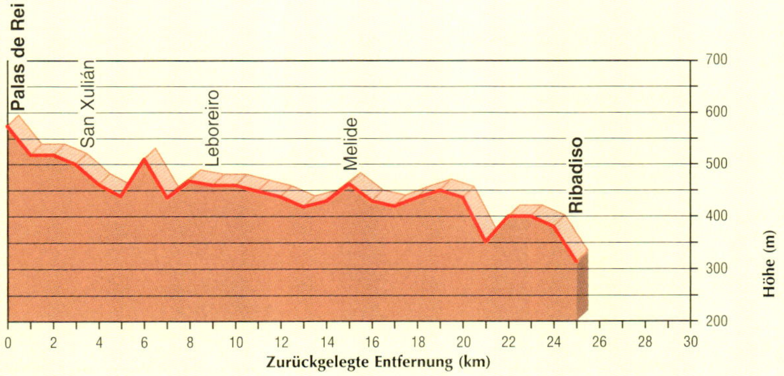

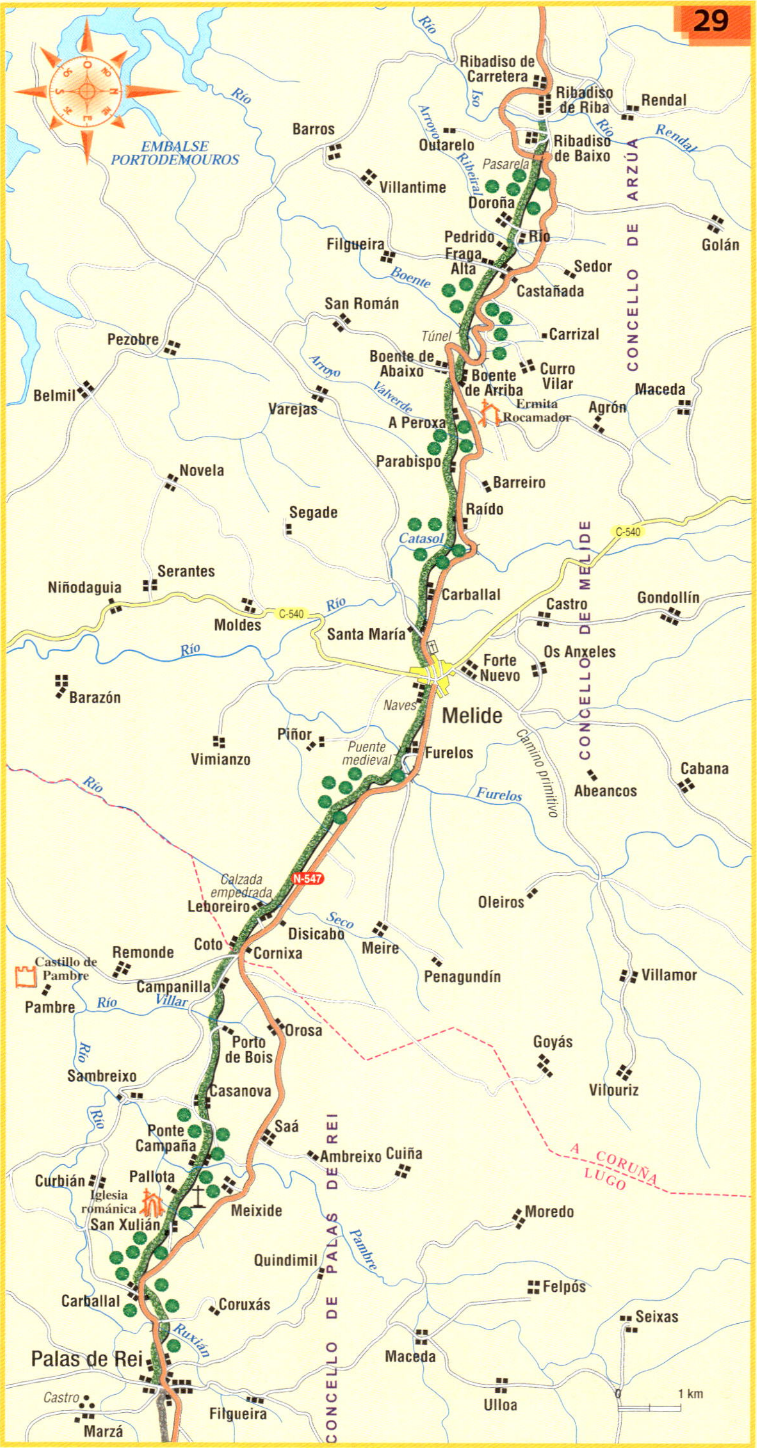
EMBALSE PORTODEMOUROS
Ribadiso de Carretera
Ribadiso de Riba
Ribadiso de Baixo
Rendal
Barros
Outarelo
Pasarela
Villantime
Doroña
Río
Golán
Filgueira
Pedrido
Fraga Alta
Sedor
Castañada
San Román
Carrizal
Túnel
Pezobre
Boente de Abaixo
Boente de Arriba
Curro Vilar
Belmil
Varejas
Ermita Rocamador
Agrón
Maceda
A Peroxa
Parabispo
Barreiro
Novela
Raído
Segade
Catasol
C-540
Serantes
Niñodaguia
Carballal
Castro
Gondollín
Moldes
Santa María
Forte Nuevo
Os Anxeles
Barazón
Naves
Melide
Piñor
Vimianzo
Puente medieval
Furelos
Camino primitivo
Abeancos
Cabana
Calzada empedrada
N-547
Leboreiro
Oleiros
Disicabo
Coto
Cornixa
Meire
Remonde
Castillo de Pambre
Penagundín
Villamor
Campanilla
Pambre
Villar
Orosa
Porto de Bois
Goyás
Sambreixo
Casanova
Vilouriz
Saá
Ponte Campaña
Ambreixo
Cuiña
Curbián
Pallota
Iglesia románica
Meixide
San Xulián
A CORUÑA
LUGO
Moredo
Quindimil
Felpós
Carballal
Coruxás
Seixas
Ruxián
Palas de Rei
Maceda
Castro
Ulloa
Marzá
Filgueira
0
1 km
Río
Iso
Arroyo Ribeiral
Boente
Arroyo Valverde
Seco
Ruxián
CONCELLO DE ARZÚA
CONCELLO DE MELIDE
CONCELLO DE PALAS DE REI

DER FRANZÖSISCHE WEG
ETAPPE 30. RIBADISO – ARCA DO PINO

Man verlässt das Ufer des Iso, und nachdem man durch **Ribadiso de Baixo** und **Ribadiso de Riba** gekommen ist, geht man durch einen Tunnel unter der Landstraße N-547 hindurch, an dessen Ausgang **Ribadiso da Carretera** liegt. Man geht am Asphalt der N-547 entlang, bis man **Arzúa** erreicht. Auf der Straße Rúa do Carme verlässt man die Ortschaft. Man geht weiter bergab durch eine Landschaft von Wiesen und kleinen Gemüsegärten und kommt im Bezirk von **As Barrosas** durch einen Eichenwald. Der Weg schlängelt an Eukalyptus und Pinienpflanzungen vorbei. Man geht über die Brücke über den Fluss Raído, um in die Ortschaft desselben Namens zu kommen. Hinter **Perguntoño** geht man durch einen Tunnel unter der Landstraße hindurch. Man biegt nach rechts ab und kommt auf einer Piste durch **Cortobe** und **Pereiriña**, um danach durch den Wald hinabzuwandern und den Fluss Ladrón zu überqueren. Auf einer Piste kommt man nach **Calzada** und **Calle** und erreicht **Boavista** nachdem man mehrere Lokalstraßen überquert hat. Wenn man **Salceda**, das auf die N-547 geht, verlässt, nimmt man einen Weg, der wieder zur Landstraße führt und überquert sie nach links. Man wandert auf einem Weg durch den Wald hinauf, bis man nach **Ras** kommt. Man tritt dort auf den Asphalt hinaus, auf dem man einige Meter weitergeht und überquert von Neuem die Straße, um auf ihre rechte Seite zu kommen, in Richtung der Häuser von **Brea**. Hinter **Rabiña** (km.23) geht man einige Meter am Asphalt entlang, überquert dann nach links (Rastplatz) und kehrt danach auf der Höhe des **Knotenpunkts von Santa Irene** (**Empalme de Santa Irene**) wieder auf die rechte Straßenseite zurück. An Eukalyptusbäumen vorbei kommt man zur Herberge von **Santa Irene** (die Ortschaft liegt auf der linken Seite der Landstraße.). Auf dem km. 20 überquert man die Straße nach links, um nach **Rúa** hineinzugehen. Wenn man auf dem Seitenstreifen 200 Meter weitergeht, kommt man zur Herberge von **Arca**, wenngleich man die Ortschaft, zu der sie gehört, **Pedrouzo** (denn Arca ist der Name der Pfarrgemeinde) erst findet, wenn man wieder die Landstraße überquert und durch **Burgo** zieht.

RADFAHRER:

Diese Etappe bietet keinerlei Schwierigkeiten.

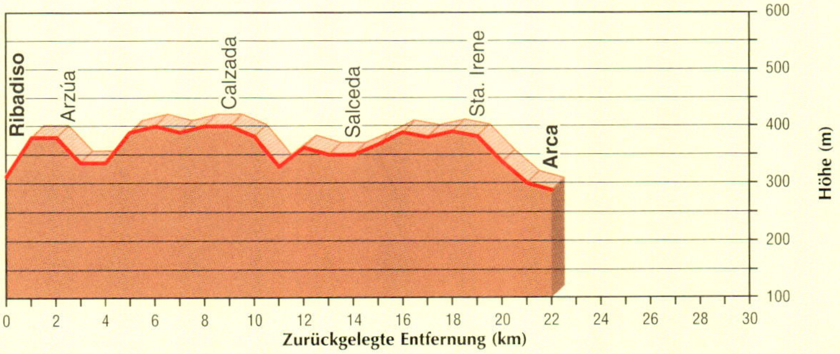

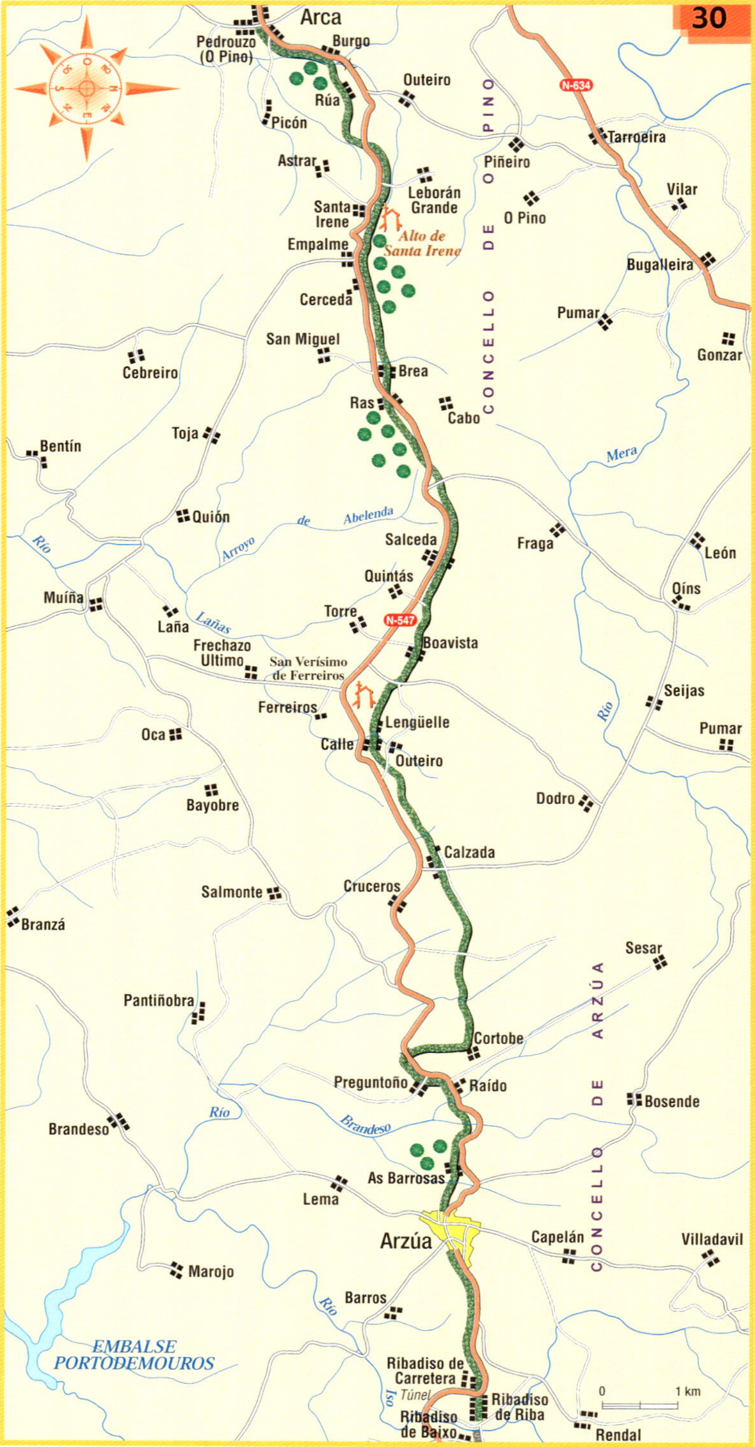
30
Arca
Pedrouzo
(O Pino)
Burgo
Outeiro
N-634
Rúa
Picón
Tarroeira
Astrar
Piñeiro
Leborán
Grande
Santa
Irene
O Pino
Vilar
Alto de
Santa Irene
Empalme
Bugalleira
Cerceda
Pumar
CONCELLO DE O PINO
San Miguel
Gonzar
Cebreiro
Brea
Ras
Cabo
Toja
Bentín
Mera
Quión
Arroyo de Abelenda
Salceda
Fraga
Río
León
Muíña
Quintás
Oíns
Laña
Lañas
Torre
N-547
Frechazo
Ultimo
San Verísimo
de Ferreiros
Boavista
Seijas
Ferreiros
Lengüelle
Río
Pumar
Oca
Calle
Outeiro
Bayobre
Dodro
Calzada
Salmonte
Cruceros
Branzá
Sesar
Pantiñobra
Cortobe
CONCELLO DE ARZÚA
Preguntoño
Raído
Bosende
Brandeso
Río
Brandeso
As Barrosas
Lema
Arzúa
Capelán
Villadavil
Marojo
Barros
Río
EMBALSE
PORTODEMOUROS
Ribadiso de
Carretera
Iso
Túnel
Ribadiso
de Riba
Ribadiso
de Baixo
Rendal
0
1 km

DER FRANZÖSISCHE WEG
ETAPPE 31. ARCA DO PINO – SANTIAGO DE COMPOSTELA

Von der Herberge von Arca geht man 200m zurück und überquert die Landstraße N-547 um über **Burgo, Arca** (**Pedrouzo**) und **San Antón** zu ziehen. In **Amenal**, km. 15, überquert man eine Brücke und die Landstraße und geht inmitten der Vegetation weiter bis nach **Cimadevilla**, von wo man auf einem Waldweg hinaufsteigt, wobei man den Flughafen von Labacolla umgeht. Am Meilenstein des km. 12 taucht die Landstraße N-544 auf, an der entlang man bergab geht, bis man an einem Bach vorbeikommt, und sie kurz danach nach rechts überquert, um die Abzweigung nach **San Paio** zu nehmen. Am Ausgang aus dieser Ortschaft beginnt ein Weg, der eine Landstraße überquert und auf dem man nach **Labacolla** hineingeht. Man geht zum Fluss Labacolla hinunter und hat man ihn einmal überquert, überquert man auch wieder die N-544. Dann beginnt man den Aufstieg auf einer asphaltierten Piste und kommt durch **Villamaior** und später an den Studios des Galizischen und Spanischen Fernsehens und an einer Holzfabrik vorbei. Hinter dem Weiler **San Marcos**, der auf dem **Monte do Gozo** selbst liegt, neben der Kapelle des Heiligen Marcus (San Marcos) und dem Denkmal, das an den Besuch Johannes Pauls des II. erinnert, erblickt man endlich das ersehnte Ziel Santiago de Compostela. Ein sanfter Abstieg führt zu den riesigen Anlagen für die Aufnahme der Pilger und dann geht man auf der Straße Rúa do Gozo weiter. Neben der Landstraße N-544 überquert man auf einer Brücke die Autobahn A-9, den Flusslauf des Sar und die Zuggleise. Nach **Santiago de Compostela** kommt man durch das Viertel des Heiligen Lazarus hinein (Barrio de San Lázaro), geht an seiner Kapelle vorbei und dann weiter durch die Industrieanlage von Fontiña, dem Viertel dos Concheiros und die Straße Rúa de San Pedro. Von der Porta do Camiño aus nimmt man die Straßen Rúa das Casas Reais und das Animas um den Platz Plaza de Cervantes zu erreichen. Die Straßen Rúa da Azabachería und Via Sacra führen zur Kathedrale von Santiago.

RADFAHRER

Die letzten Kilometer des Jakobswegs bieten den Radfahrern keinerlei Schwierigkeiten.

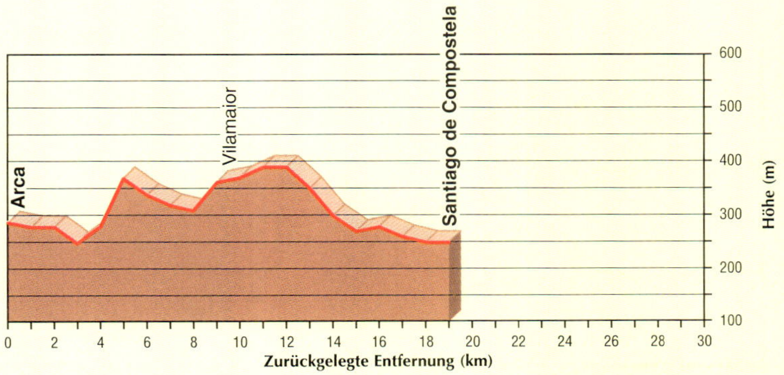

31
SANTIAGO DE COMPOSTELA
Santo Domingo
Río
Arades
Sarela
Peregrina
Río
Catedral
Combarro
Escarabuña
Vilares
Lamas de Abad
Crucero de Sar
Sar
Mallóu
Gesteiro
N-525
Capilla de S. Lázaro
Viso 401
Aríns
Barral
Río
N-550
Monte del Gozo
Arines
Sionlla de Abajo
San Marcos
A-9
Bando
T.V.G.
T.V.E.
Castro 407
Pena Deitada 483
Reboredo
Lavacolla
Rubio
Enfesta
San Roque
Castelo 500
Vilamaior
Labacolla
Río
Carballal
Mourentan
San Paio
Seixiños 391
Loureda
Aeropuerto de Lavacolla
Castrofeito
Pereira
Cimadevila
Amenal
N-547
N-634
Castro
Bama
San Antón
Río
Arca
Brandelos
Pedrouzo (O Pino)
Burgo
Rúa
0
1 km
Picón

DER ARAGONISCHE WEG
ETAPPE 1. SOMPORT – JACA

Unsere Wanderung beginnt auf dem Pass von **Somport**, an der Grenze zwischen Frankreich und Spanien. Nach einigen Schritten auf der Landstraße N-330, taucht links eine Treppe auf, auf der man zusammen mit dem Lauf des Flusses Aragón hinabsteigen muss, bis zu einer Ebene, auf der das Hospital der Heiligen Christina (Hospital de Santa Cristina) lag. Man überquert eine Brücke auf der Landstraße. Ganz in der Nähe befindet sich die Skistation von Candanchú, gegenüber dem Berg Tobazo. Hinter einem Bergsattel überquert man die N-330 und den Hang des Hügels, auf dem die Burg von Candanchú liegt. Der Jakobsweg nähert sich auf der Höhe der Brücke Puente del Ruso der Landstraße, ohne jedoch mit ihr in Kontakt zu treten. Auf holprigen Pfaden und einer asphaltierten Piste (die man nach rechts verlässt, bevor man den Campingplatz Canal Roya erreicht), steigt man nach **Canfranc-Estación** hinab. Man muss dabei den Aragón überqueren und letztendlich auf die Landstraße gehen, auf der man auch den Ort verlässt, nachdem man an dem großen Bahnhof vorbeigegangen ist. Man geht an der Landstraße entlang, bis zu einem zweiten Tunnel. Dann steigt man nach links eine Treppe hinab, um auf das linke Ufer des Flusses hinüberzugehen und an ihm entlang bis nach **Canfranc** zu wandern. Man kommt über eine Steinbrücke in die Ortschaft und überquert am Ausgang die romanische Brücke der Wallfahrer (Puente de los Peregrinos), die neben dem Friedhof liegt. Man geht zweimal unter der Landstraße hindurch und bevor man nach **Villanúa** kommt, steht man vor zwei Möglichkeiten:

A) Der Jakobsweg kann geradeaus weitergehen, ohne die Brücke zu überqueren, über das Dorf Villanúa und dann zwischen Äckern hindurch, wobei man zweimal den Fluss und die Zuggleise überquert und durch einen Zenneichenwald kommt, um auf einer Piste, welche die N-330 kreuzt, nach **Castiello de Jaca** hinaufzuwandern.

B) Man überquert die Brücke (ein Rastplatz liegt daneben) in Richtung zum neuen Teil von Villanúa. Die Pfeile führen uns an der Landstraße entlang (am Rand gibt es einen Brunnen und einen Rastplatz.) Ein Schild zeigt links einen Weideweg an, dem man während eineinhalb Kilometern folgt. Man überquert die Straße, um zu einem weiteren Rastplatz und einer Ferienkolonie zu kommen und geht auf der Landstraße nach Borau weiter, um, bevor man mit der N-330 zusammentrifft, einen Feldweg zu nehmen, der nach 2km **Castiello de Jaca** erreicht. Man geht seine Jakobstraße (Calle de Santiago) hinunter und überquert die Landstraße. Man überquert den Fluss auf der Straße, die nach Bescós de Garcipollera führt. Auf einem Feldweg überquert man den Fluss Ijuez. Kurz danach führt ein zum Fluss paralleler Weg unter der N-330 hindurch und dann, an der Kapelle des Heiligen Christophorus vorbei (Ermita de San Cristobal), nach **Jaca** hinauf.

RADFAHRER

Einen großen Teil der Route legt man auf ziemlich steilen Pfaden zurück, die unmöglich zu befahren sind. Deshalb ist es besser, dem Lauf der Landstraße N-330 zu folgen.

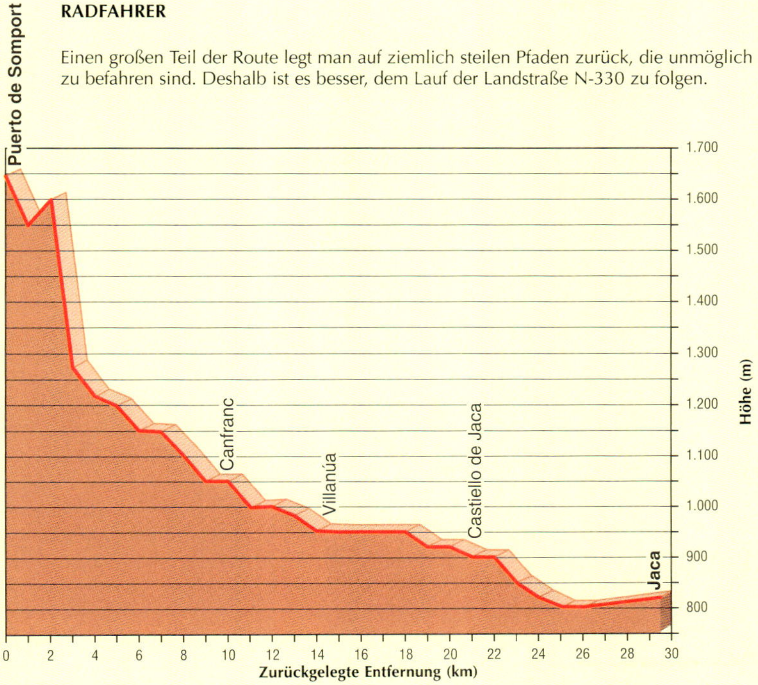

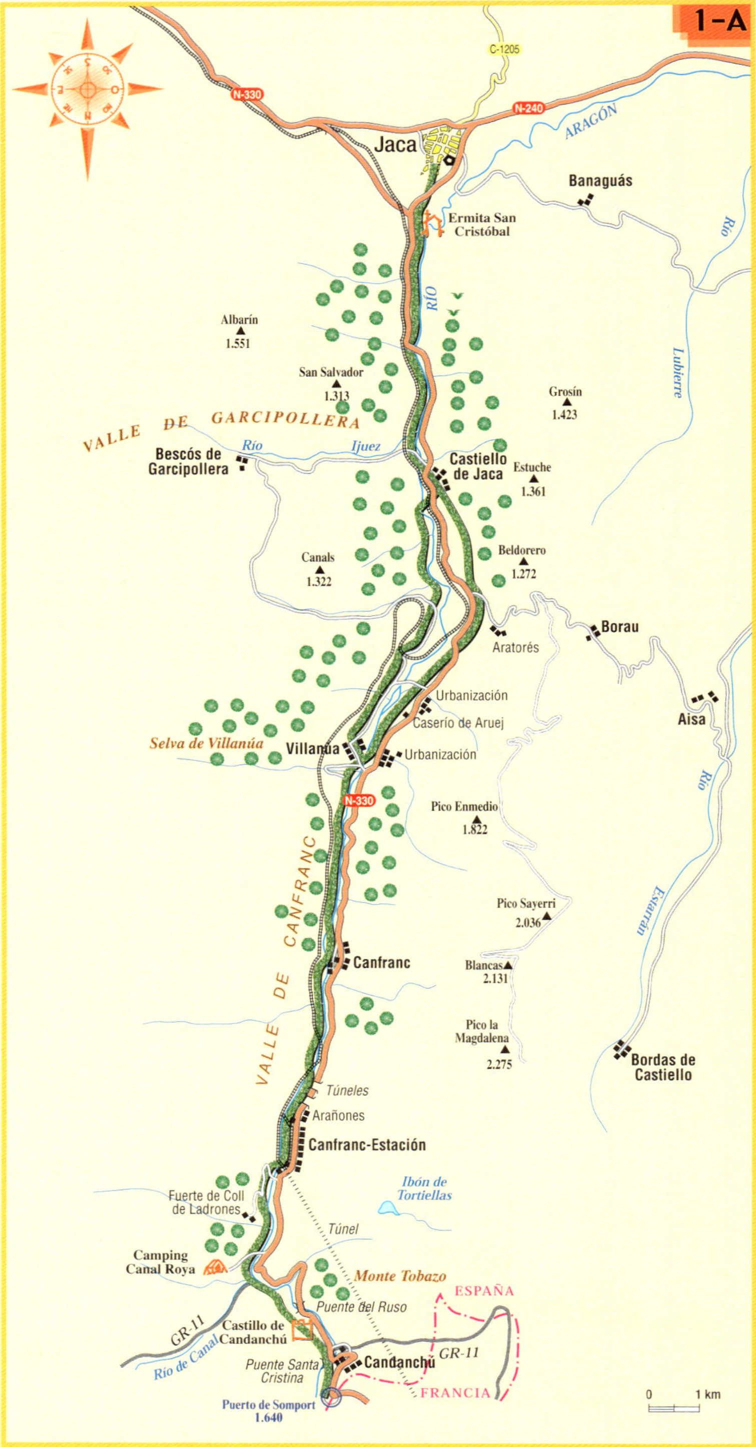

1-A
C-1205
N-330
N-240
ARAGÓN
Jaca
Banaguás
Ermita San Cristóbal
Río
Río
Lubierre
Albarín 1.551
San Salvador 1.313
Grosín 1.423
VALLE DE GARCIPOLLERA
Río Ijuez
Bescós de Garcipollera
Castiello de Jaca
Estuche 1.361
Canals 1.322
Beldorero 1.272
Aratorés
Borau
Urbanización
Caserío de Aruej
Aisa
Selva de Villanúa
Villanúa
Urbanización
N-330
Pico Enmedio 1.822
Río
Estarrún
VALLE DE CANFRANC
Pico Sayerri 2.036
Canfranc
Blancas 2.131
Pico la Magdalena 2.275
Bordas de Castiello
Túneles
Arañones
Canfranc-Estación
Ibón de Tortiellas
Fuerte de Coll de Ladrones
Túnel
Camping Canal Roya
Monte Tobazo
ESPAÑA
Puente del Ruso
GR-11
Castillo de Candanchú
Río de Canal
GR-11
Puente Santa Cristina
Candanchú
FRANCIA
Puerto de Somport 1.640
0 1 km

DER ARAGONISCHE WEG
ETAPPE 2. JACA – ARRÉS (PUENTE LA REINA DE JACA)

Um aus **Jaca** hinauszukommen nimmt man die Allee Paseo de la Constitución und nachdem man durch die Gärten gegangen ist, geht der Jakobsweg in den Weg Camino de Monte Pano oder de Mocorones über, der neben einer Siedlung von Einfamilienhäusern verläuft. Wenn man den Friedhof erreicht, nach 2km, taucht die Landstraße N-240 auf, auf der man einige Meter geht, um danach auf einem parallelen Weideweg weiterzuwandern. Man überquert den Fluss Gas (nach etwa 1,5km) und wenn man an einer Baumaterialenfabrik vorbeikommt, biegt links ein Weg ab, der nach San Juan de la Peña führt. Kurz darauf kommt man durch einen Pappelwald (Casa del Municionero) rechts von der N-240 und an einem alten Militärlager vorbei. 1km später überquert man die Straße nach links. Man durchquert die Schlucht von Atarés, um auf der Straße nach Atarés zur Landstraße zurückzukehren (3km.). Ein Weg, der parallel weiterführt, steigt unter Eichen und Pinien hinauf und führt dann zur alten Straße nach San Juan de la Peña hinunter, auf der man ein paar Schritte geht, um sie auf einem Weg, der rechts abbiegt, zu verlassen. Nach einer weiteren Schlucht, geht man hinter einem Hotel vorbei (die alte Venta Esculabolsas). Nachdem man die neue Landstraße überquert hat, geht man bis zur Straße nach Binacua weiter, auf welcher der Weg von San Juan de la Peña zurückkehrt. Man geht weiter, bis rechts ein Weg zwischen Gebüsch und Äckern auftaucht. Um nach **Santa Cilia** hineinzukommen (3km vom Hotel entfernt), überquert man die Landstraße. Man verlässt die Ortschaft auf einem parallel zur Landstraße verlaufenden Weg, an den Kornfeldern entlang. Auf der Höhe eines kleinen Baches, geht man auf die linke Seite der Straße. Auf dem km. 302 gibt ein Schild einen Pfad zur Herberge von Arrés an, der eine Kurve der Landstraße vermeidet, aber auf dem km. 303 zu ihr zurückkehrt. Von dort aus sieht man **Puente la Reina de Jaca**, wohin man kommt, wenn man nach rechts abbiegt und über die Brücke geht. Vorher bieten sich uns zwei Möglichkeiten:

A) Man kann ab Puente la Reina auf der N-240 nach Berdún weiterziehen und dann die zwei nächsten Etappen am rechten Ufer der Talsperre Yesa zurücklegen. Aber diese Alternative ist für Wanderer nicht zu empfehlen, da es keine Herbergen gibt, die Beschilderung mangelhaft ist und man auf dem Asphalt gehen muss.

B) Diese Alternative geht auf dem linken Ufer der Talsperre weiter. Bevor man über die Brücke geht, wandert man nach **Arrés** weiter (3,5km entfernt), wozu man die Abzweigung nimmt und ein Stück auf ihr geht, bis man einen engen Weg einschlägt, der an einer Kurve auftaucht und querfeldein hinaufführt, durch Gebüsch, bei dem der Buchsbaum überwiegt.

RADFAHRER

Der Weg ist auf dieser Etappe recht gut befahrbar.

Bevor man nach Puente la Reina hineinfährt, muss man entscheiden, ob man nach Arrés weiterfährt, die Route, die für die Wanderer zu empfehlen aber für Radfahrer nicht so gut eingerichtet ist, oder ob man nach Puente la Reina hinein und von dort nach Berdún weiterfährt, immer auf der Landstraße nach

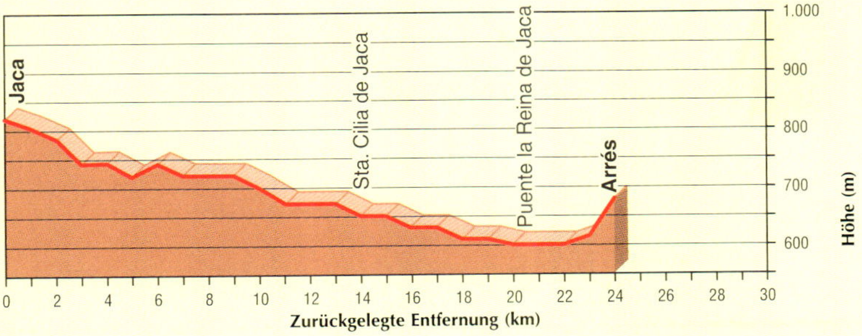

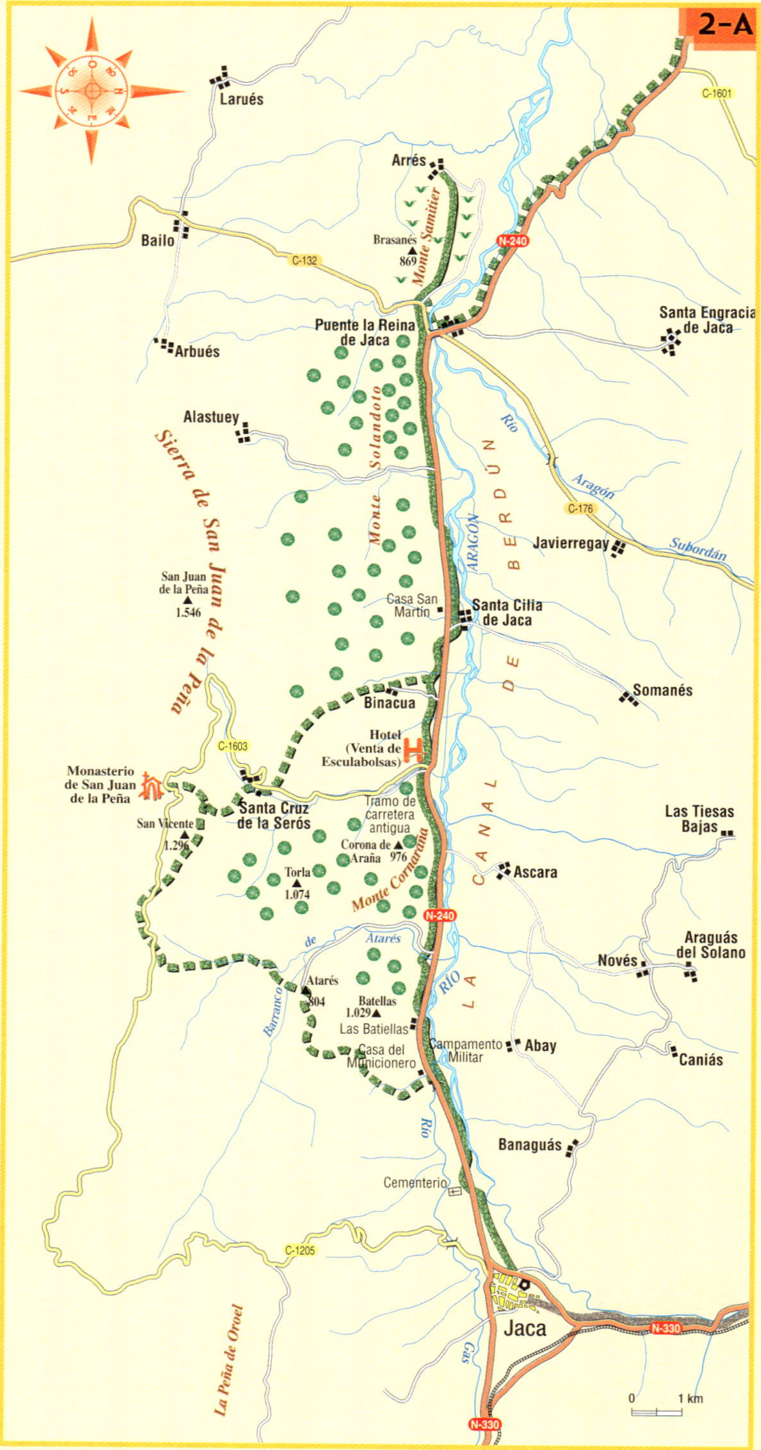
2-A
Larués
Arrés
Bailo
C-132
Brasanés
869
Monte Samitier
N-240
C-1601
Puente la Reina
de Jaca
Santa Engracia
de Jaca
Arbués
Alastuey
Monte Solandoto
Sierra de San Juan de la Peña
Río
Aragón
C-176
Subordán
Javierregay
ARAGÓN
CANAL DE BERDÚN
San Juan
de la Peña
1.546
Casa San
Martín
Santa Cilia
de Jaca
Somanés
Binacua
Hotel
(Venta de
Esculabolsas)
C-1603
Monasterio
de San Juan
de la Peña
Santa Cruz
de la Serós
San Vicente
1.296
Tramo de
carretera
antigua
Corona de
Araña
976
Las Tiesas
Bajas
Torla
1.074
Monte Cornarana
Ascara
N-240
Barranco de Atarés
Atarés
804
Batellas
1.029
Las Batiellas
Río
Novés
Araguás
del Solano
Casa del
Municionero
Campamento
Militar
Abay
Caniás
Río
Banaguás
Cementerio
C-1205
Jaca
N-330
Gas
La Peña de Oroel
0
1 km
N-330

DER ARAGONISCHE WEG
ETAPPE 3. ARRÉS (PUENTE LA REINA DE JACA) – RUESTA

Von **Arrés** geht der Jakobsweg auf einem Pfad links von der Landstraße weiter, die vom Dorf hinabführt. Auf unserem Abstieg begleitet uns dieselbe Vegetation (Buchsbaum) wie bei unserer Ankunft. Ist man einmal unten, überquert man eine Piste, die man wenig später wieder nimmt. Man muss nach links gehen, nach Westen, mit dem Aragón rechts und den Kornfeldern links. Man kann **Berdún** am anderen Ufer sehen. Während etwa sechs Kilometern, muss man

mehrere Wasserrisse durchqueren, bis man die Landstraße findet, die Berdún mit Martes verbindet (das auf der linken Seite des Jakobsweges liegt). Dort biegt man nach links ab um auf der Landstraße hinaufzuwandern, bis rechts eine Piste auftaucht. Man geht auf dieser nach Norden in Richtung eines Stalles hinauf und biegt dann nach links ab, wieder parallel zum Fluss. Kurz danach mündet die Piste in einen Weg für Fuhrwerke, auf dem man einige Meter geht, um ihn nachher zum Fluss hinunter gehen zu lassen, während man von Neuem in Richtung Westen wandert. Und kurz danach überquert man die Grenze zwischen Huesca und Zaragoza. Bis man auf die Höhe von Mianos kommt (das auch links liegt), schlängelt der Pfad, durchquert mehrere Wasserrisse (Sobresechos und Calcones) und seltsame Kieshaufen. Eine Strecke lang führt er unter Steineichen weiter, und nach diesen letzten 6 km. nimmt man eine von Bäumen gesäumte Piste, die an einem Stall vorbeiführt. Vor dem Aufstieg nach Mianos muss man einen Weg rechts nehmen, der zur Landstraße führt, die nach **Artieda** hinaufgeht. Wenn man am Friedhof vorbeikommt, verlässt man die Straße und geht in die Ortschaft hinein. Man geht ihre Straßen hinauf, um danach durch die Straße Luis Buñuel wieder zur Landstraße hinunterzugehen, auf der man Artieda verlässt.

Man geht zur Kreuzung hinunter und einige Meter weiter erscheint links eine Piste auf der Höhe von mehreren Hallen. Diese Piste mündet in die Straße, die nach Sos del Rey führt und zwischen Kornfeldern und Bäumen durch Ruesta kommt. Links taucht ein Pfad auf, auf dem man hinaufsteigt. Einmal oben, überquert man die Straße, um in den Eichenwald einzudringen. Der Wald verlängert sich, formt so einen Korridor zwischen den bebauten Feldern und geht dann in einen Pinienwald über. Man erreicht die Kapelle des Heiligen Johannes des Täufers (Ermita de San Juan Bautista). Später kommt man auf der Landstraße nach **Ruesta**.

RADFAHRER

Die Radfahrer haben die Möglichkeit zwischen der Route, die wir für die Pilger zu Fuß beschrieben haben und die sie links von der Talsperre von Yesa nach **Sangüesa** führt oder dem rechten Ufer, zu wählen:
A) Nachdem man von **Arrés** hinabgefahren ist, zeigt sich das Terrain recht flach, aber mit vielen Wasserrissen. Bevor man nach Ruesta kommt, taucht der Wald auf. Wenn man möchte, kann man am Ausgang von Artieda die Landstraße C-137 in Richtung Sos del Rey nehmen, die durch **Ruesta** führt.
B) Von **Puente la Reina de Jaca** aus (ohne nach Arrés weiterzufahren), nimmt man auf dem km. 303 die Landstraße N-240, die über **Berdún, Tiermas, Yesa** und **Javier** führt.

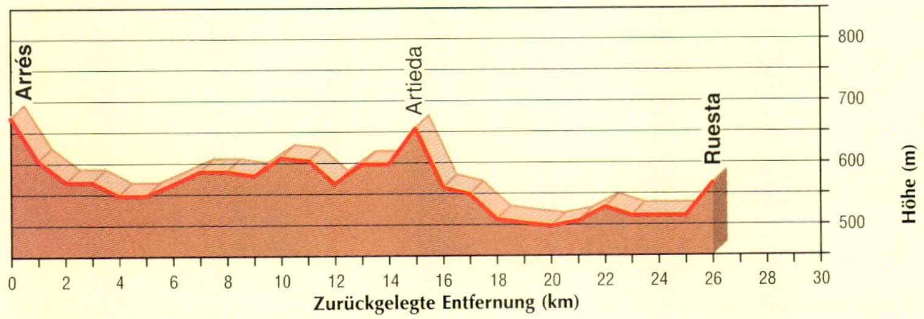

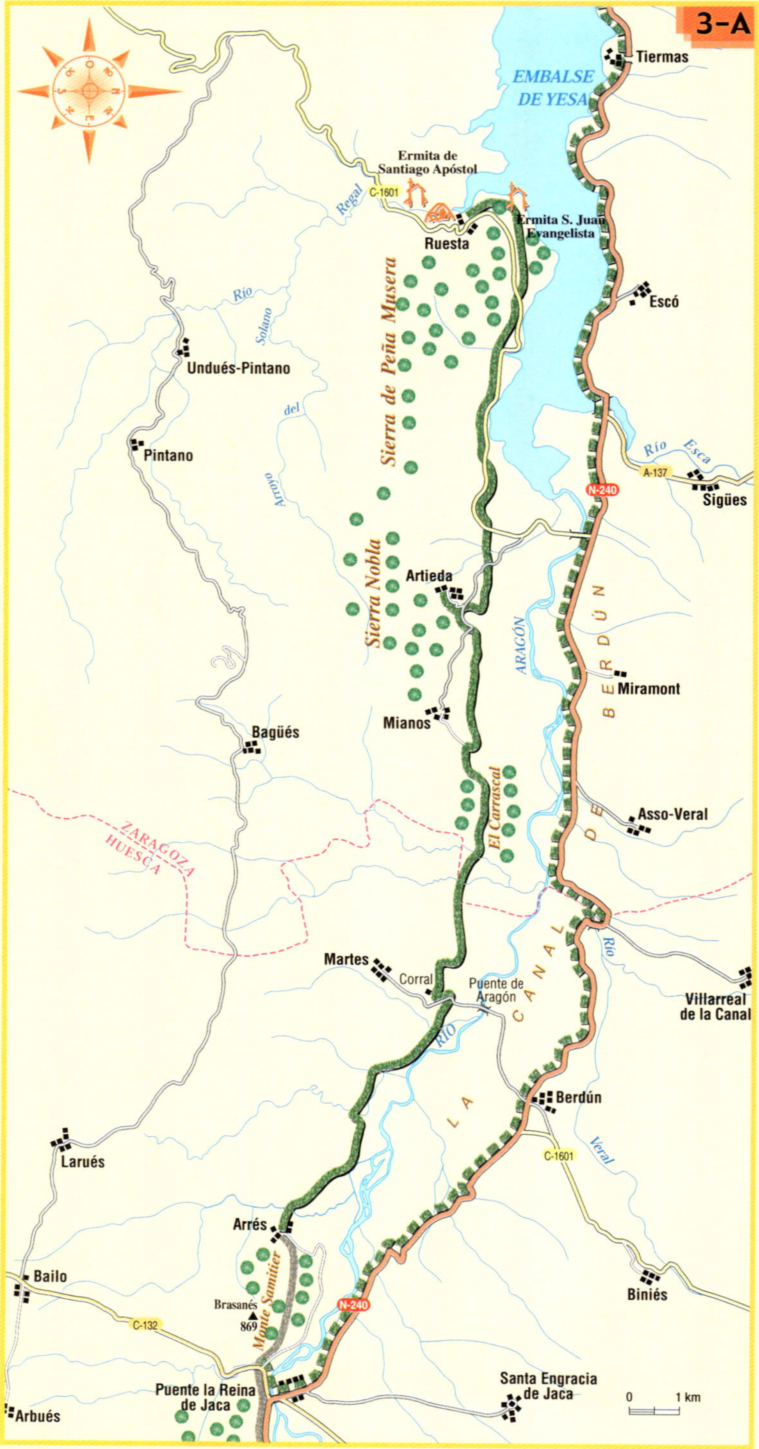
3-A
Tiermas
EMBALSE DE YESA
Ermita de Santiago Apóstol
C-1601
Regal
Ermita S. Juan Evangelista
Ruesta
Sierra de Peña Musera
Río Solano del Arroyo
Escó
Undués-Pintano
Pintano
Río Esca
A-137
N-240
Sigües
Sierra Nobla
Artieda
ARAGÓN
BERDÚN
Miramont
Mianos
Bagües
El Carrascal
Asso-Veral
ZARAGOZA
HUESCA
DE
CANAL
Río
Villarreal de la Canal
Martes
Corral
Puente de Aragón
RÍO
LA
Berdún
Veral
C-1601
Larués
Arrés
Bailo
Monte Samitier
Brasanés
869
Biniés
C-132
N-240
Puente la Reina de Jaca
Santa Engracia de Jaca
Arbués
0
1 km

DER ARAGONISCHE WEG
ETAPPE 4. RUESTA – SANGÜESA

Um aus **Ruesta** hinauszukommen, geht man durch das Dorf hinab und nimmt den Pfad, der mit der Talsperre auf der rechten Seite, die Brücke über den Fluss Regal überquert. Man lässt den Campingplatz hinter sich und steigt hinauf. Man überquert die Piste des Campingplatzes, um zur Kapelle des Heiligen Jakob (Ermita de Santiago) zu kommen. Wenn man dieser Piste von Neuem begegnet, steigt man auf ihr durch eine Nadelbaumpflanzung hinauf in Richtung zur Landstraße nach Ruesta, aber eine andere Piste leitet uns nach rechts bergauf, wieder nach Westen. Auf einer kleinen Ebene zwischen Kornfeldern, taucht ein anderer Weg auf, auf dem man weiter unter Pinien bergauf geht (an diesem Punkt beginnt auch der Pfad der P.R.-10 in Richtung Yesa). Einmal oben schwenkt man nach links und nimmt dann eine Piste nach rechts. Hinter uns bleiben die Wälder der Peña Musera und der Gemeindebezirk von Ruesta. Von hier aus muss man nach Südwesten hinabsteigen, in das Tal des Sangüesa, zwischen Äckern auf der einen und Gebüsch auf der anderen Seite. Dann und wann tauchen einige Steineichen auf. In der Nähe von Undúes de Lerda erklimmt man einen Hügel und überquert den Bach Molinar auf der Römerstraße (die nicht in sehr gutem Zustand ist) um nach **Undúes** hinaufzuwandern. Wenn man die Ortschaft verlässt, nimmt man einen Weg der bergab führt. Nach dem letzten Gebäude, das schon verfallen ist, taucht ein Pfad auf, der nach links führt. Man kommt auf eine Piste, die zwischen Äckern und Gebüsch aus kleinen Steineichen hindurchführt und die eine asphaltierte Piste kreuzt. 2 Kilometer weiter liegt die Grenze zwischen Navarra und Aragón. Wenig später überquert man die Nebenstrasse die über den unterirdischen Kanal de las Bardenas führt. Eine Strecke lang geht man auf einem Flurbereinigungsweg weiter. Währendessen sieht man im Hintergrund die großen äolischen Türme des Berges Aibar und im Norden die Straße nach Javier. Bevor man nach Sangüesa hineinkommt, muss man nach links abbiegen und danach in Richtung Westen gehen, so dass **Sangüesa** vor uns liegt, in das man auf der Landstraße hineinzieht, wobei man unter der Umgehungsstraße hindurch geht.

RADFAHRER

A) Für die Radfahrer, die auf dem linken Ufer der Talsperre von Yesa weiterfahren, bietet diese Etappe die Schwierigkeit, keine Alternativroute, auf der man auf Asphalt fahren könnte, zu haben.

B) Die Radfahrer, die auf der Landstraße N-240 fahren, kommen durch die Ortschaft **Yesa**. Dort können sie die Abzweigung nach rechts nehmen, um das **Kloster von Leyre** (**Monasterio de Leyre**) zu besichtigen. Um **Sangüesa** zu erreichen, nimmt man eine Abzweigung nach links, die über die **Burg von Javier (Castillo de Javier)** führt und dann nach Sangüesa weitegeht.

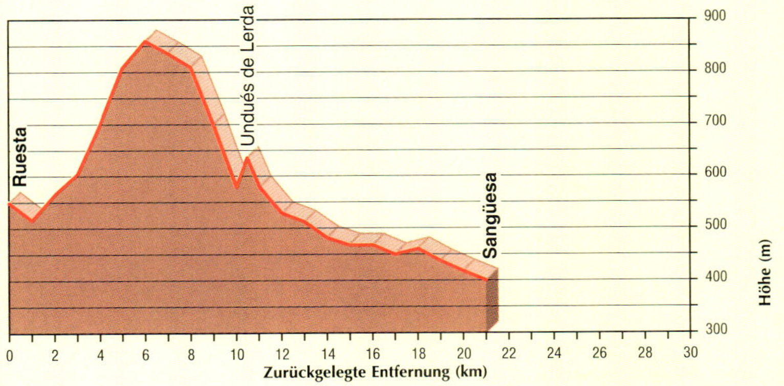

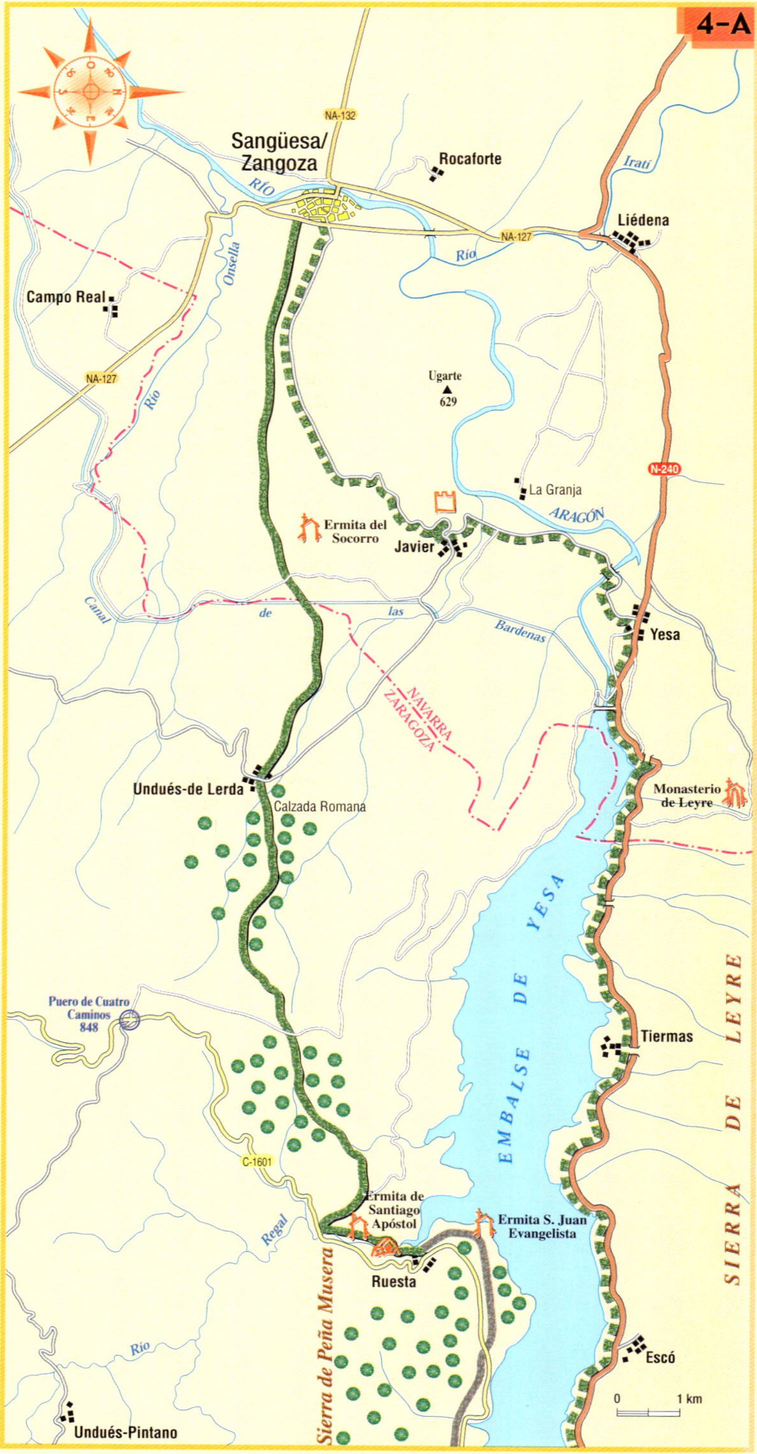

4-A
NA-132
Sangüesa/
Zangoza
Rocaforte
Río
Iratí
Liédena
NA-127
Onsella
Campo Real
NA-127
Río
Ugarte
629
N-240
La Granja
Aragón
Ermita del
Socorro
Javier
Canal
de
las
Bardenas
Yesa
Navarra
Zaragoza
Undués-de Lerda
Calzada Romana
Monasterio
de Leyre
Embalse de Yesa
Sierra de Leyre
Puero de Cuatro
Caminos
848
Tiermas
C-1601
Ermita de
Santiago
Apóstol
Ermita S. Juan
Evangelista
Regal
Ruesta
Sierra de Peña Musera
Río
Escó
0
1 km
Undués-Pintano

DER ARAGONISCHE WEG
ETAPPE 5. SANGÜESA – MONREAL

Man geht durch die Hauptstraße (Calle Mayor) aus der Ortschaft hinaus, an Santa María la Real vorbei und in Richtung zur Brücke desselben Namens. Wenn man auf der Landstraße NA-127 weitergeht, bieten sich einem zwei Möglichkeiten:

A) Nach links geht die Abzweigung nach Rocaforte, von der seinerseits ein Weg abbiegt, der zwischen der Papierfabrik und den Saatfeldern hindurchführt und nach **Rocaforte** hinaufsteigt. Von dort steigt man auf einem von Pappeln und einigen Zwergeichen beschattetem Weg hinunter (ein Zeichen weist auf den Berg Alto de Aibar), durch eine Landschaft mit Gebüsch (Weißdorn und Buchsbaum). Wenn man zum Viehweg Cañada Real kommt, beginnt der Aufstieg, der durch (die Ruinen von) Santa Cilia an einem Bach vorbei führt und durch einen Tunnel unter der Landstraße nach Aibar geht. Ein Pfad leitet uns nach rechts und nach einem kleinen Tor, geht man ein Stück parallel zur Landstraße bergab, und dann weiter nach rechts hinunter, um danach ein umzäuntes Feld zu überqueren. Nachdem man auf dem Abstieg durch einen Pinienwald gewandert ist, nimmt man eine asphaltierte Piste, von der nach rechts ein Pfad zwischen Pinien, Buchsbaum und Wacholder über den Hang des Berges geht. Auf einer weiteren Piste überquert man einen Bach, um auf einen anderen Hügel zu steigen, wo man einem Weg nach links folgt. Man geht am Hang des Hügels 2km parallel zum Bach entlang, bis man auf einer neuen Piste unter Nadelbäumen bergauf steigt, und sich vom Wasserlauf in Richtung des Grundstücks von Olaz (einem Dorf, das im XIV. Jahrhundert verlassen wurde). Weiter oben nimmt man eine andere Piste und danach einen Weg, der nach links hinabführt, Von hier aus sieht man bereits Izco, das man zwischen Kornfeldern erreicht.

B) Man geht auf der NA-127 nach **Liédena** weiter, in das man hineingeht, nachdem man den Fluss Irati überquert hat. Wenn man die Ortschaft verlässt, geht eine Piste in Richtung Westen, genau wie der Irati, zwischen Weinstöcken, Korn und Olivenbäumen. Und nach 2,5km. führt uns ein Tunnel auf einer »Grünen Straße« (Via Verde) in die eindrucksvolle Foz de Lumbier. Von Geiern umgeben, zwischen Zwergeichen, Buchsbaum und Wacholder, geht man in Richtung Talsperre und danach zum Ausgangstunnel. **Lumbier** ist die nächste Ortschaft, danach nimmt man die Landstraße NA-150. Man muss diese an der Kurve nach **Nardúes** verlassen. Man geht auf dem Seitenstreifen der N-240 weiter und, einmal in **Aldunate**, nimmt man einen Pfad zwischen Ahornen, der an einem Pinien- und an einem Eichenwald vorbeiführt. Um den Berg Alto de Loiti zu erreichen, kehrt man zur Landstraße zurück und kommt auf einem Pfad nach Izco.

In Izco treffen beide Alternativen zusammen. Von hier bis **Abinzano** führt eine 2km. lange Piste zwischen Äckern hindurch, mit bewaldeten Hügeln auf der linken Seite. Die Landstraße liegt rechts. Nach weiteren acht Kilometern erscheint **Salinas de Ibargoiti**, in das man auf der Großen Brücke (Puente Grande) über dem Fluss Elorz hineingeht. Wenn man es verlässt, überquert man den Fluss und steigt durch einen Wald, der erst aus Pinien und dann aus Eichen besteht, auf einen Hügel. Bevor man nach Monreal hineinkommt, geht man am Fußballplatz vorbei und überquert den Fluss Elorz.

RADFAHRER

Für Radfahrer ist die Alternative B am empfehlenwertesten. Sie ist besser befahrbar und liegt näher der Straße.

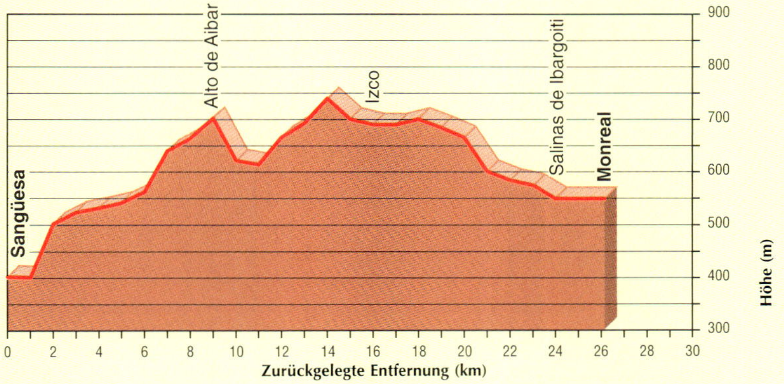

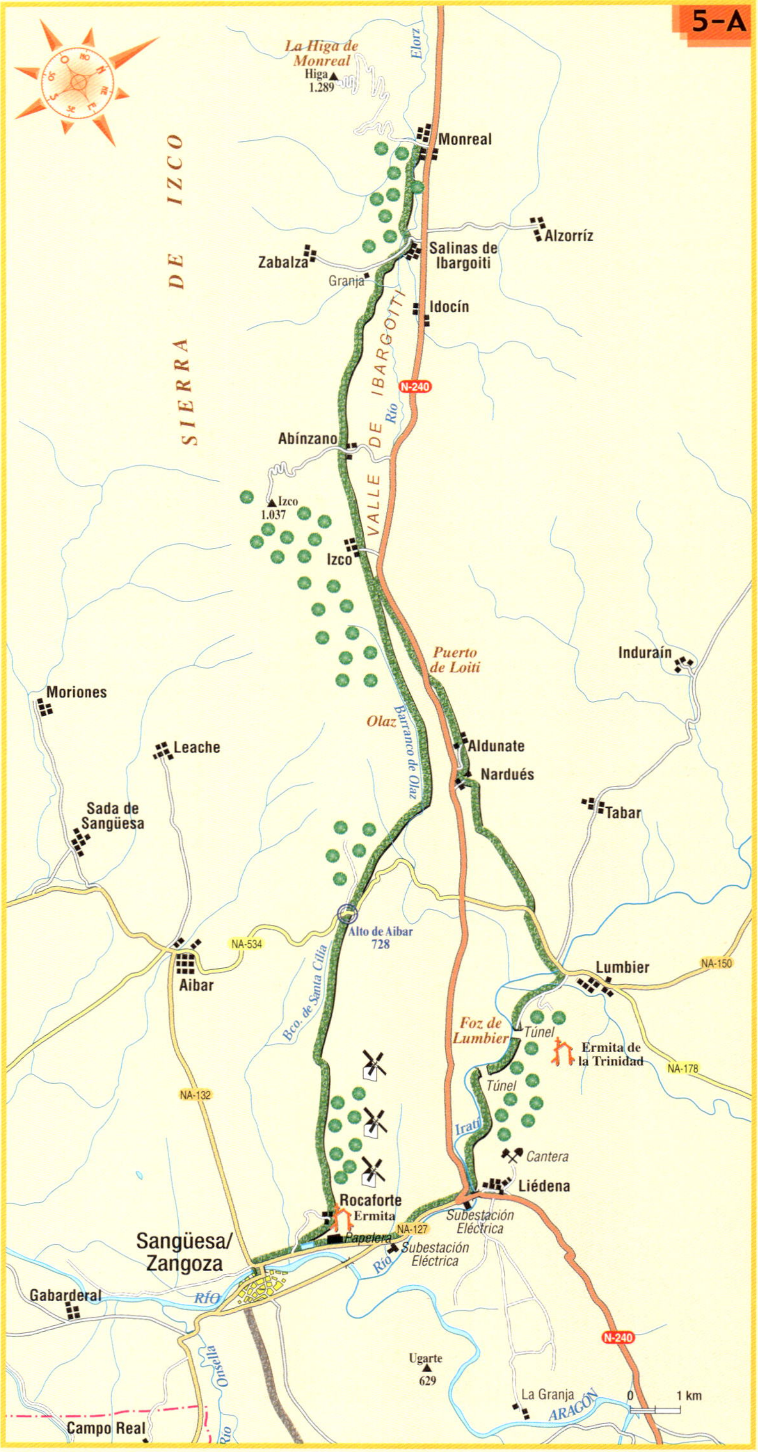
5-A
La Higa de Monreal
Higa 1.289
Elorz
Monreal
SIERRA DE IZCO
Alzorríz
Zabalza
Salinas de Ibargoiti
Granja
Idocín
VALLE DE IBARGOITI
Río
N-240
Abínzano
Izco 1.037
Izco
Puerto de Loiti
Induraín
Moriones
Olaz
Barranco de Olaz
Aldunate
Leache
Nardués
Tabar
Sada de Sangüesa
Alto de Aibar 728
NA-534
Aibar
Lumbier
NA-150
Bco. de Santa Cilia
Foz de Lumbier
Túnel
Ermita de la Trinidad
NA-178
NA-132
Túnel
Irati
Cantera
Liédena
Rocaforte
Ermita
Subestación Eléctrica
NA-127
Papelera
Sangüesa/ Zangoza
Subestación Eléctrica
Río
Gabarderal
Río
N-240
Onsella
Ugarte 629
La Granja
ARAGÓN
0 1 km
Campo Real
Río

DER ARAGONISCHE WEG
ETAPPE 6. MONREAL – PUENTE LA REINA

Die Straße del Burgo führt zum Ende von **Monreal** (ein Pfeil in Richtung Kirche, zeigt eigentlich die Herberge an), von wo der Weg Camino de los Carros zwischen Kornfeldern ausgeht. Die Landstraße verläuft rechts und links erhebt sich der Hügel Higa de Monreal. In der Nähe des Flusses Elorz geht man durch Streifen aus Kiefern und anderem Gebüsch bis man die Brücke überquert um in Richtung der Sierra de Alaiz zu gehen und auf ihren Hängen zwischen Steineichen und Buchsbaum weiter zu wandern. Nach 4 km taucht **Yárnoz** auf. Man geht an der Kirche vorbei und verlässt das Dorf auf dem Weg zum Friedhof. Man geht am Fuße des Berges weiter und kommt auf einem sehr steilen Weg nach **Otano**. Kurz danach (1,5 km.) kommt Ezperun, mit einem alten Steinbruch am Eingang. Ein Streifen aus Ahornen führt nach **Guerendiain** (1km.). Um das Dorf zu verlassen, kommt man an der Johanneskirche vorbei (Iglesia de San Juan). Man geht weiter am Fuße der Sierra entlang, diesmal unter Eichen und Steineichen. Man braucht fast 4km. um nach **Tiebas** zu kommen, das zwischen Steinbrüchen auf der Bergkette liegt. Man kommt auf einer Piste, die rechts von uns auftaucht, in das Dorf hinein. Von dort bis Enériz müssen wir zwischen zwei Routen wählen:

A) Wenn man an der Schule vorbei aus dem Dorf geht, da wo die Herberge liegt, muss man die Landstraße überqueren und bergab gehen, wobei man den Steinbruch links und den Fußballplatz rechts lässt. Man nähert sich der Autobahn und geht an ihr entlang, um dann durch einen Tunnel unter ihr hindurchzugehen. Man überquert ebenfalls die N-121 und die Zugschienen. Nach **Muruarte de Reta** wandert man bis **Olcoz** weiter. Dort muss man einen Weg nach rechts nehmen, der uns auf eine Anhöhe hinaufführt. Man steigt zum Fluss Robo hinunter und folgt seinem Lauf. Danach überquert man die Landstraße nach Úcar. Nach **Enériz** geht man durch die Straße San Juan hinein.

B) Wenn man das Dorf auf der Landstraße von Tiebas verlässt, überquert man die Autobahn, geht um den Bahnhof herum und dann in Richtung **Biurrun**. Von dort geht ein Weg nach **Úcar** weiter, von wo man nach **Enériz** wandert.

Dort treffen beide Alternativen zusammen. Man geht am Lauf des Flusses Robo entlang und dort wo der Weg sich von ihm trennt, biegt man in Richtung zur Kirche von **Eunate**. Man kommt durch ein Erholungsgebiet. Wenn man nach **Obanos** hinaufwandern möchte, muss man die Landstraße N-601 überqueren, an ein paar Weingärten vorbeigehen, die Landstraße, die nach Muruzábal geht überqueren und einen steilen Hang hinaufsteigen. Von Obanos geht man bergab und überquert von Neuem die Landstraße. Man geht erst parallel zu ihr weiter und dann auf einem Pfad zwischen Gemüsegärten, bis man auf der Straße nach **Puente la Reina** hineinkommt.

RADFAHRER

Sollte man Schwierigkeiten haben, kann man auf der Landstraße N-240 aus Monreal hinausfahren und die Landstraße NA-234 nehmen, die links abbiegt. Wenn man die Autobahn überquert hat, fährt man eine kleine Strecke auf der N-121, bis rechts die NA-601 abbiegt, die in die N-111 mündet, die nach Puente la Reina hineinführt.

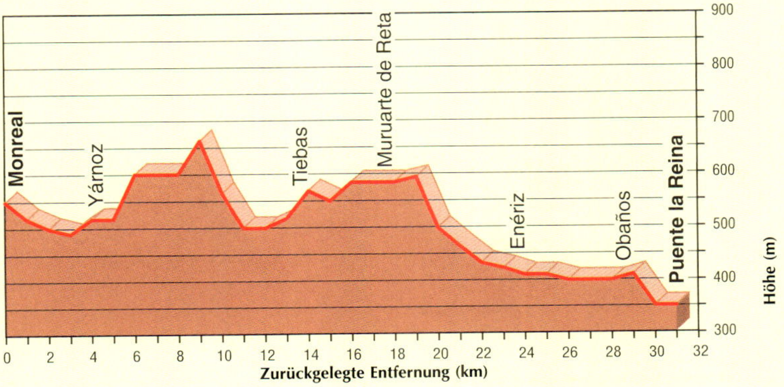

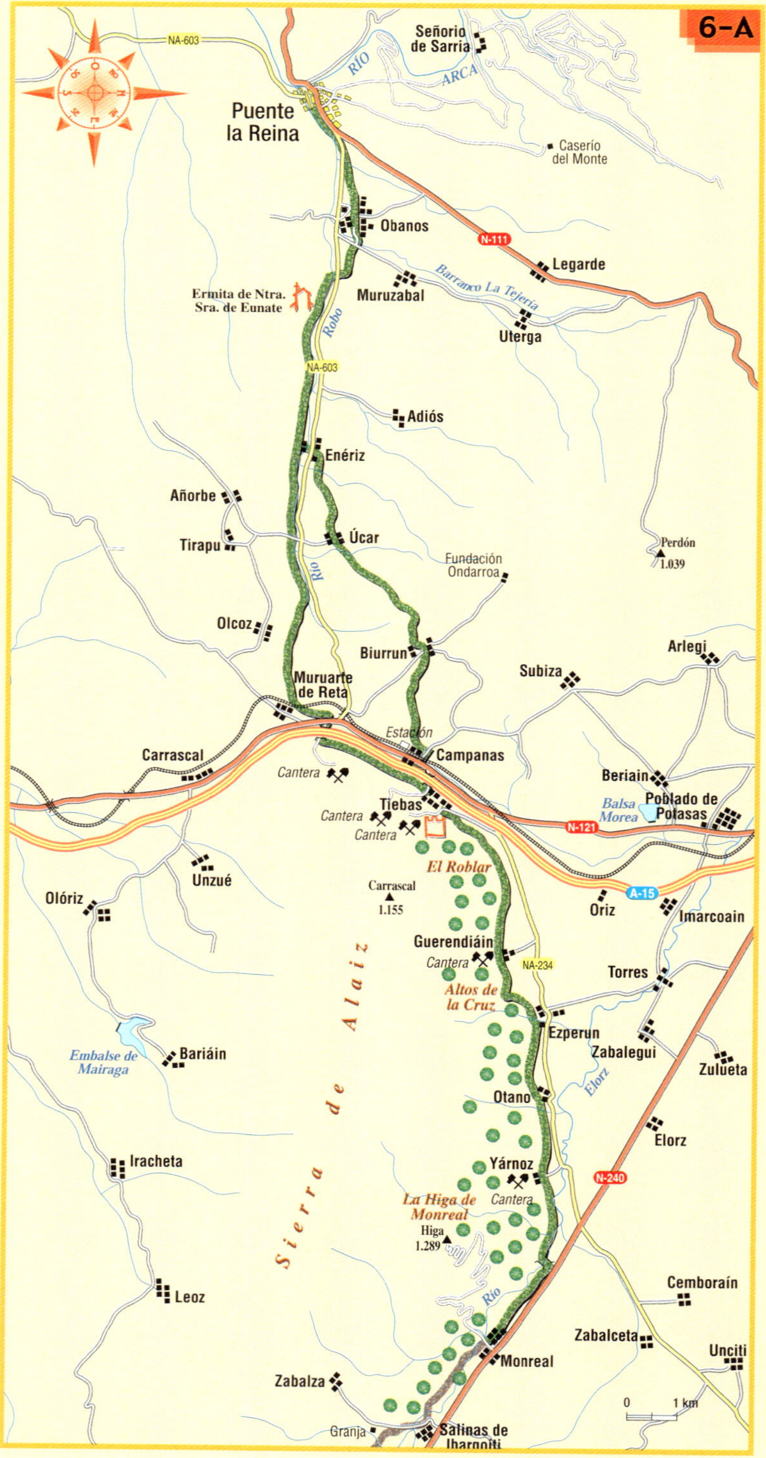
6-A
NA-603
Señorío de Sarria
Río Arca
Puente la Reina
Caserío del Monte
Obanos
N-111
Legarde
Ermita de Ntra. Sra. de Eunate
Muruzabal
Barranco La Tejería
Uterga
Robo
NA-603
Adiós
Eneríz
Añorbe
Tirapu
Úcar
Perdón 1.039
Fundación Ondarroa
Río
Olcoz
Biurrun
Arlegi
Subiza
Muruarte de Reta
Estación
Campanas
Carrascal
Cantera
Beriain
Tiebas
Balsa Morea
Poblado de Potasas
Cantera
Cantera
N-121
El Roblar
Unzué
Carrascal 1.155
Olóriz
Oriz
A-15
Imarcoain
Guerendiáin
Cantera
NA-234
Torres
Altos de la Cruz
Sierra de Alaiz
Ezperun
Zabalegui
Embalse de Mairaga
Bariáin
Zulueta
Elorz
Otano
Elorz
Iracheta
Yárnoz
N-240
La Higa de Monreal
Cantera
Higa 1.289
Leoz
Río
Cemboraín
Zabalceta
Monreal
Unciti
Zabalza
0
1 km
Granja
Salinas de Ibargoiti

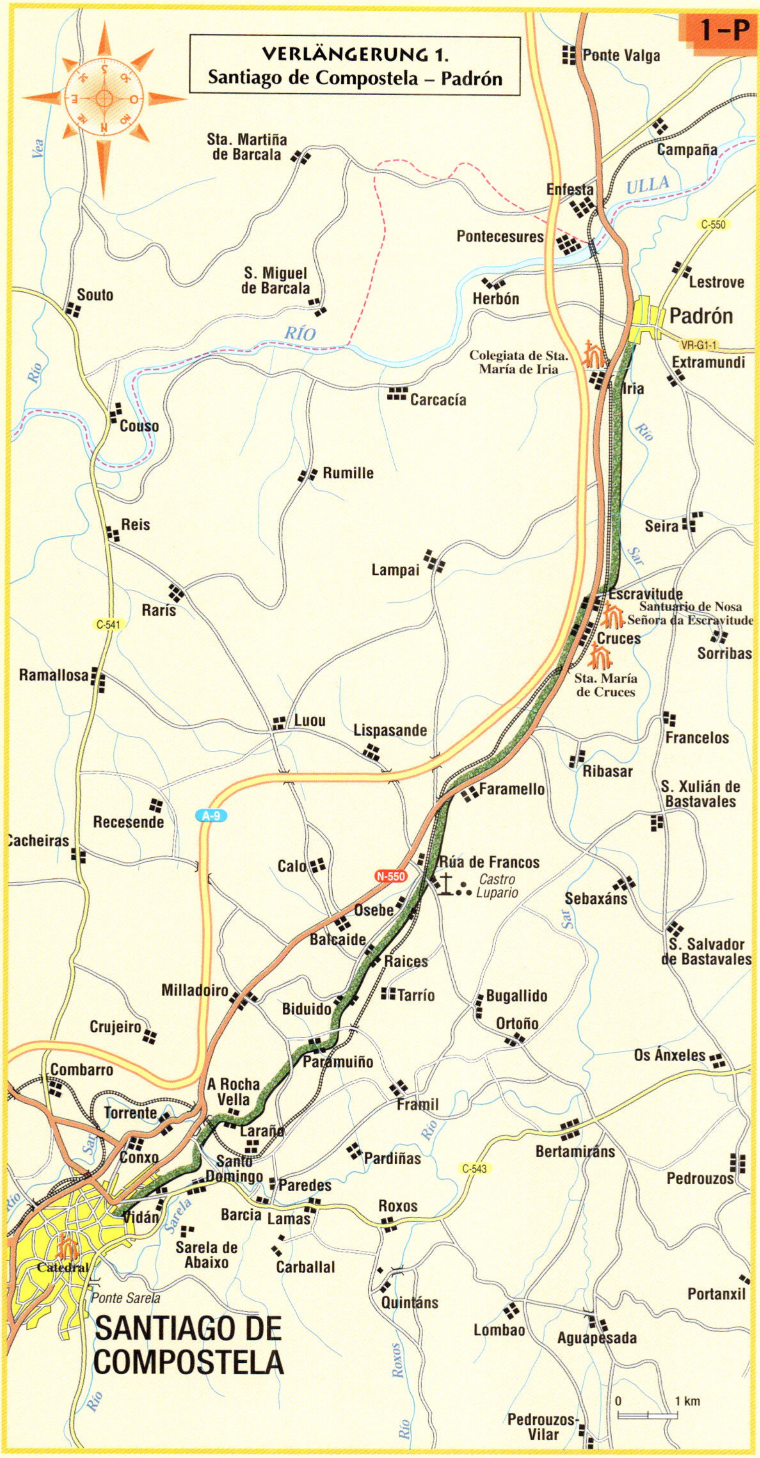
1-P
VERLÄNGERUNG 1.
Santiago de Compostela – Padrón
Ponte Valga
Campaña
ULLA
Enfesta
Pontecesures
C-550
Lestrove
Herbón
Padrón
VR-G1-1
Colegiata de Sta. María de Iria
Extramundi
Iria
Sta. Martiña de Barcala
S. Miguel de Barcala
Souto
RÍO
Vea
Río
Carcacía
Couso
Rumille
Río
Reis
Seira
Lampai
Sar
Raris
Escravitude
Santuario de Nosa Señora da Escravitude
Cruces
Sorribas
C-541
Ramallosa
Sta. María de Cruces
Luou
Lispasande
Francelos
Ribasar
Faramello
S. Xulián de Bastavales
A-9
Recesende
Cacheiras
Calo
Rúa de Francos
Castro Lupario
N-550
Sebaxáns
Osebe
Balcaide
Sar
S. Salvador de Bastavales
Raices
Milladoiro
Tarrío
Bugallido
Biduido
Ortoño
Crujeiro
Os Ánxeles
Paramuiño
Combarro
A Rocha Vella
Framil
Torrente
Laraño
Río
Bertamiráns
Sar
Conxo
Santo Domingo
Pardiñas
C-543
Pedrouzos
Paredes
Río
Vidán
Sarela
Barcia
Lamas
Roxos
Sarela de Abaixo
Catedral
Carballal
Quintáns
Portanxil
Ponte Sarela
SANTIAGO DE COMPOSTELA
Lombao
Aguapesada
Roxos
Río
Río
0
1 km
Pedrouzos-Vilar

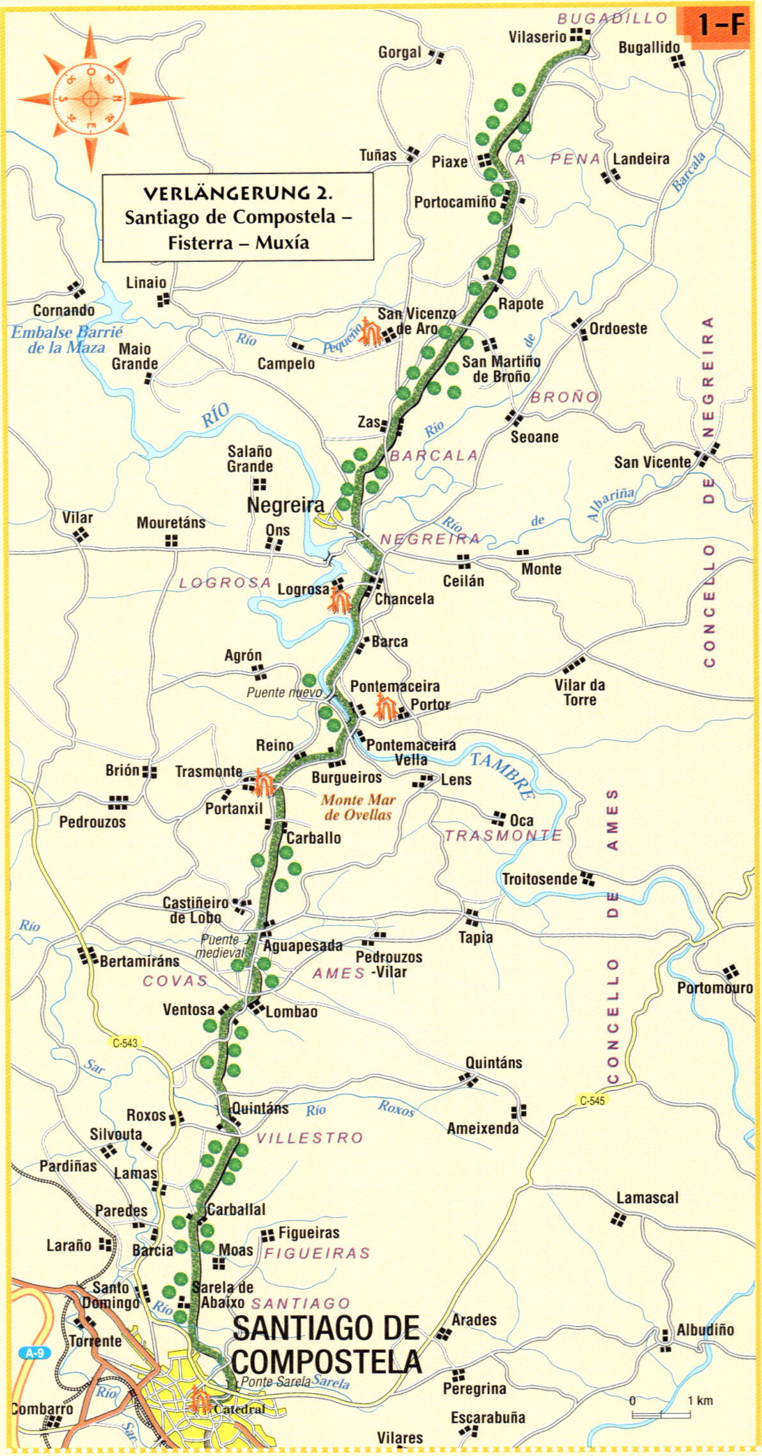
1-F
VERLÄNGERUNG 2.
Santiago de Compostela –
Fisterra – Muxía
BUGADILLO
Vilaserio
Bugallido
Gorgal
Tuñas
Piaxe
A PENA
Landeira
Barcala
Portocamiño
Linaio
Cornando
Embalse Barrié
de la Maza
Maio
Grande
Río
Campelo
Pequeño
San Vicenzo
de Aro
Rapote
Ordoeste
San Martiño
de Broño
de
BROÑO
Zas
Seoane
RÍO
Río
BARCALA
Salaño
Grande
Negreira
San Vicente
Albariña
Vilar
Mouretáns
Ons
Río
de
NEGREIRA
Ceilán
Monte
LOGROSA
Logrosa
Chancela
CONCELLO DE NEGREIRA
Barca
Agrón
Puente nuevo
Pontemaceira
Portor
Vilar da
Torre
Reino
Pontemaceira
Vella
TAMBRE
Brión
Trasmonte
Burgueiros
Lens
Pedrouzos
Portanxil
Monte Mar
de Ovellas
Oca
TRASMONTE
Carballo
Troitosende
CONCELLO DE AMES
Castiñeiro
de Lobo
Río
Puente
medieval
Aguapesada
Tapia
Bertamiráns
Pedrouzos
-Vilar
AMES
COVAS
Portomouro
Ventosa
Lombao
C-543
Sar
Quintáns
Quintáns
Río
Roxos
C-545
Roxos
Ameixenda
Silvouta
VILLESTRO
Pardiñas
Lamas
Lamascal
Paredes
Carballal
Figueiras
Laraño
Barcia
Moas
FIGUEIRAS
Santo
Domingo
Sarela de
Abaixo
SANTIAGO
Río
SANTIAGO DE
COMPOSTELA
Arades
Albudiño
Torrente
A-9
Ponte Sarela
Sarela
Peregrina
Río
Combarro
Catedral
Sar
Escarabuña
0
1 km
Vilares

3-F
VERLÄNGERUNG 2.
Santiago de Compostela – Fisterra – Muxía
Leis
Ermita de Ntra. Señora de la Barca
Muxía
Playa de Espiñeirido
RÍA DE CAMARIÑAS
Punta Merexo
Playa de Lourido
Chorente
Merexo
Sendón
Ermita de San Roque
Cabo da Voutra
Casanovas
Moraime
San Martiño de Ozón
Quintáns
Lourido
Os Muiños
Ozón
Monte Facho de Lourido
Xurarantes
Cuño
Castelos
Armear
Monte Fumiñeo
Agranzón
ENSENADA DEL CUÑO
Baltar
Vilela
Morpeguite
Vilastose
A Grixá
Castro
Morquitián
Viseo
Touriñán
Couceiro
Senande
Capilla de Ntra. Sra. del Espino
Bardullas
Sorna
Guisamonde
Loalo
Trasufe
Pena do Corvo
227
Nemiña
Castro
Salgueiros
Río Fragoso
CONCELLO DE MUXÍA
A Serpe
Buxán
Frixe
Playa de Nemiña
Vaosilveiro
RÍA DE LIRES
Mellón de Lires
Porcar
Pereiriña
Altalamañana
Piñeiros
Canelas
C-552
Lires
Bermún
Canosa
Brañas de Fonte Romeu
Pedras Loiras
Lobelos
Ermita de San Pedro Mártir
Ermita de Nosa Sra. das Nieves
Villar de Paraíso
Duey
Playa del Rosto
Padrís
Cabaleriza
Castrexe
Suarriba
Toba
Alto do Cruceiro da Armada
Carboal
CONCELLO DE CÉE
Buxán
Cée
Camiños Chans
Fadibón
CONCELLO DE FISTERRA
Sardiñeiro
Estorde
Miñóns
Vilar
Corcubión
San salvador
Mallas
Lamas
C-552
San Roque
Amarela
Quenxe
San Vicente
Escaselas
Playa de Sardiñeiro
Playa de Estorde
CONCELLO DE CORCUBIÓN
C-550
Redonda
Playa de Langosteira
San Martín
RÍA DE CORCUBIÓN
Gures
Ézaro
Finisterre
0
1 km
CABO FINISTERRE

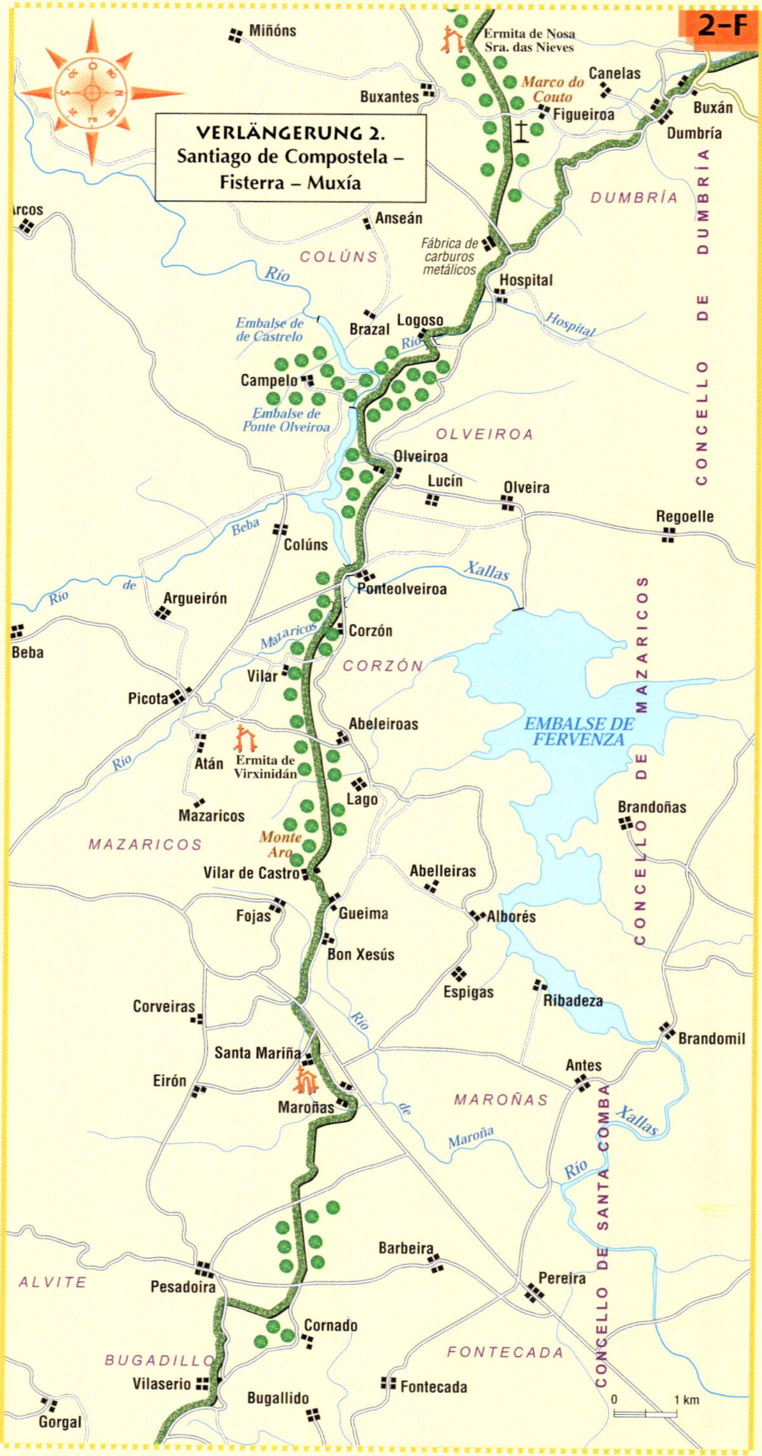

2-F
VERLÄNGERUNG 2.
Santiago de Compostela – Fisterra – Muxía
Miñóns
Buxantes
Ermita de Nosa Sra. das Nieves
Marco do Couto
Canelas
Figueiroa
Buxán
Dumbría
DUMBRÍA
CONCELLO DE DUMBRÍA
Arcos
Anseán
COLÚNS
Fábrica de carburos metálicos
Hospital
Río
Hospital
Embalse de Castrelo
Brazal
Logoso
Río
Campelo
Embalse de Ponte Olveiroa
OLVEIROA
Olveiroa
Lucín
Olveira
Regoelle
Beba
Colúns
Río de Beba
Xallas
Ponteolveiroa
Argueirón
Corzón
Mazaricos
Beba
CORZÓN
CONCELLO DE MAZARICOS
Vilar
Picota
Abeleiroas
EMBALSE DE FERVENZA
Río
Atán
Ermita de Virxinidán
Lago
Mazaricos
Brandoñas
MAZARICOS
Monte Aro
Vilar de Castro
Abelleiras
Fojas
Gueima
Alborés
Bon Xesús
Espigas
Ribadeza
Corveiras
Río
Brandomil
Santa Mariña
Antes
Eirón
Maroñas
MAROÑAS
de
Maroña
Xallas
Río
CONCELLO DE SANTA COMBA
Barbeira
ALVITE
Pesadoira
Pereira
Cornado
BUGADILLO
FONTECADA
Vilaserio
Fontecada
Bugallido
Gorgal
0
1 km

DER ENGLISCHE WEG
OCÉANO ATLÁNTICO
RÍAS ALTAS
RÍAS BAJAS
CABO DE ESTACA DE BARES
Cabo Ortegal
Cariño
San Andrés de Teixido
Ortigueira
Ría de Ortigueira
Playa Bares
Ría de Viveiro
Pta. Mansa
Pta. de Morás
Cabo de S. Ciprián
Cabo Burela
Burela
Viveiro
Playa Arealonga
Playa Llás
Foz
Playa Coto
Playa Balea
Ría do Eo
Ribadeo
Barreiros\ San Cosme
N-634
N-642
Vegadeo
Mondoñedo
A Pontenova
Ferreira\ Valadouro
Ourol
Punta Robaliceira
Punta Candelaria
Cedeira
Ría de Cerdeira
Playa Baleo
Emb. de Forcadas
Punta Frouxeira
Playa de Campelo
CABO PRIOR
Playa Esmelle
Playa Lobariz
Playa Lumebo
Cabo Prioriño
Ría del Ferrol
Ferrol
Neda
Fene
Mugardos
Ares
N-631
Ría de Betanzos
Somozas
As Pontes de García Rodríguez
Emb. da Ribeira
Río Eume
Emb. do Eume
Cabreiros
Abadín
Vilalba
Feira do Monte\ Cospeito
Meira
N-640
A Fonsagrada
A CORUÑA
Cabo Cociñadoiro
Sada
Pontedeume
Miño
A-9
Betanzos
Cabo de San Adrián
Malpica
Punta de las Olas
Arteixo
Punta de Nariga
Pta. Roncudo
Ría de Corme e Laxe
Cambre
Cabo Laxe
Laxe
A-55
Laracha
Carballo
Sigrás
Anceis
Carral
N-550
Bruma
Buscás
Cerceda
Ordes
Pereira
Curtis
Guitiriz
A-6
Begonte
Rábade
Outeiro de Rei
LUGO
Castroverde
Baleira
N-VI
O Corgo
Baralla
Becerreá
As Nogais
Sarria
Portomarín
Guntín
N-547
Monterroso
Melide
Ulla
Emb. de Portodemouros
Río
Arzua
Pedrouzo\ O Pino
Lavacolla
Sigüeiro
Tambre
N-634
Cabo Vilán
Camariñas
Ría Camariñas
Muxía
Vimianzo
Zas
CABO TOURIÑÁN
Santa Comba
Emb. de Castrelo-Xallas
Emb. da Fervenza
Corcubión
Cabo da Nave
Fisterra
CABO FISTERRA
Cabo da Nasa
Mazaricos
Carnota
Negreira
Emb. de Barrié de la Maza
Santiago de Compostela
A Serra de Outes
Bertamiráns
Río
Punta dos Remedios
Muros
Noia
N-525
Ramallosa
Valboa
Merza

DIE WEGE PORTUGALS

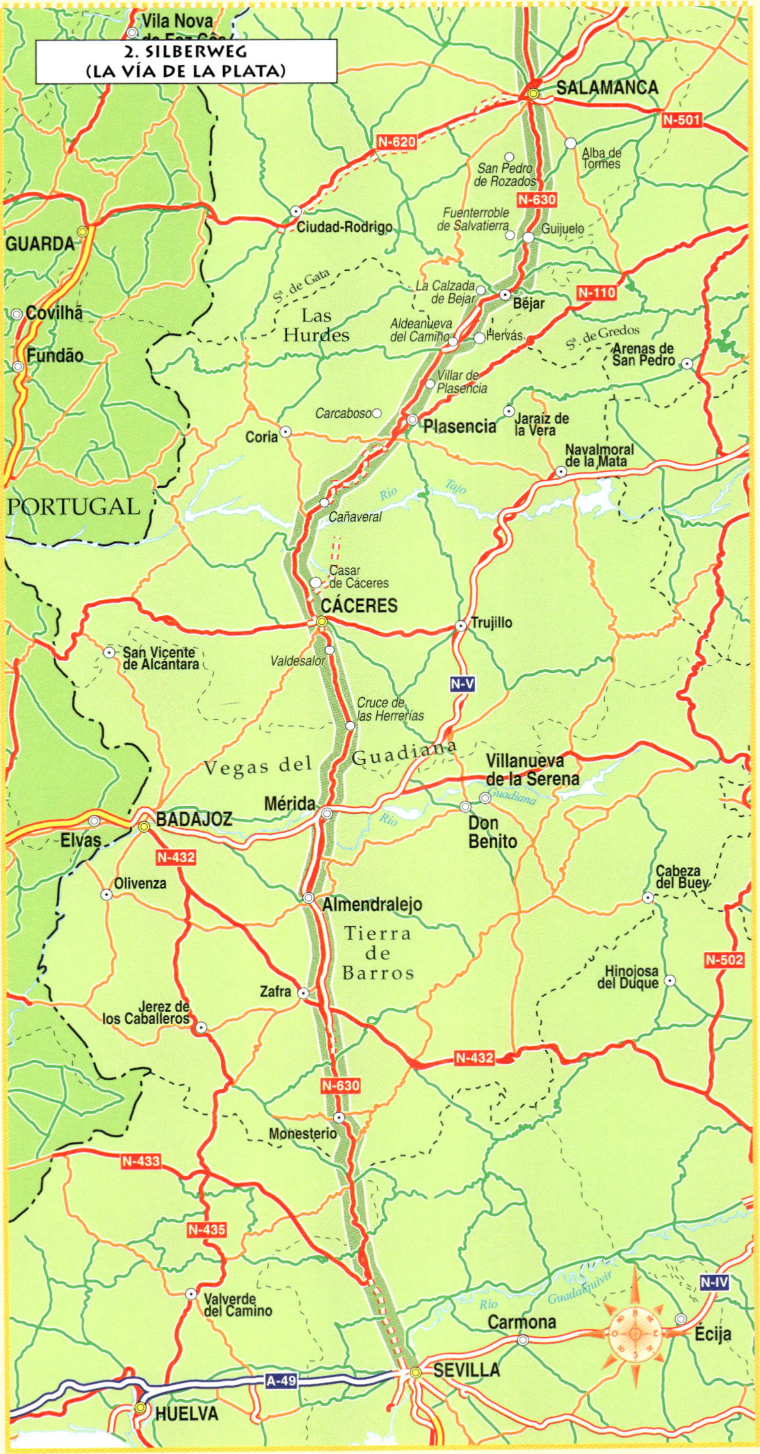
2. SILBERWEG
(LA VÍA DE LA PLATA)
Vila Nova
SALAMANCA
N-501
N-620
Alba de Tormes
San Pedro de Rozados
N-630
Fuenterroble de Salvatierra
Guijuelo
Ciudad-Rodrigo
GUARDA
S.ª de Gata
La Calzada de Béjar
Béjar
N-110
Covilhã
Las Hurdes
Aldeanueva del Camino
Hervás
S.ª de Gredos
Arenas de San Pedro
Fundão
Villar de Plasencia
Carcaboso
Plasencia
Jaraíz de la Vera
Coria
Navalmoral de la Mata
PORTUGAL
Río Tajo
Cañaveral
Casar de Cáceres
CÁCERES
Trujillo
San Vicente de Alcántara
Valdesalor
N-V
Cruce de las Herrerías
Vegas del Guadiana
Villanueva de la Serena
Mérida
Río Guadiana
BADAJOZ
Don Benito
Elvas
N-432
Olivenza
Almendralejo
Cabeza del Buey
Tierra de Barros
N-502
Zafra
Hinojosa del Duque
Jerez de los Caballeros
N-432
N-630
Monesterio
N-433
N-435
Río Guadalquivir
N-IV
Valverde del Camino
Carmona
Écija
SEVILLA
A-49
HUELVA

1. SILBERWEG
(LA VÍA DE LA PLATA)
Santiago de Compostela
Lavacolla
Noia
A-9
Santa Uxía de Ribeira
Cambados
O Grove
PONTEVEDRA
Vigo
Lalín
N-525
Carballiño
Cea
LUGO
Sarria
Monforte de Lemos
OURENSE
Xunqueira de Ambía
Vilar de Barrio
Sandiás
Xinzo de Limia
Monterrei
Verín
A Gudiña
A-52
O Barco
El Bierzo
Montes de León
Villafranca del Bierzo
Valle de Ancares
Villablino
Caldas de Luna
Bembibre
Ponferrada
Astorga
Páramo Leonés
LEÓN
La Bañeza
A-6
N-630
Puebla de Sanabria
Alija del Infantado
Benavente
Sta. Marta de Tera
Sª de la Culebra
Tábara
N-631
Riego del Camino
N-122
Cistierna
Riaño
Guardo
Sahagún
Carrión de los Condes
PALENCIA
Venta de Baños
Tierra de Campo
Tierra del Pan
Tierra del Vino
Toro
ZAMORA
El Cubo de la Tierra del Vino
Tordesillas
VALLADOLID
Laguna de Duero
Tudela de Duero
Nava del Rey
Medina del Campo
Olmedo
Íscar
Cuéllar
Arévalo
BRAGANÇA
Chaves
Miranda do douro
Mirandela
VILA REAL
PORTUGAL
Vila Nova de Foz Côa
Río Duero
Río Miño
BRAGA
PORTO
VIANA DO CASTELO
CABO FINISTERRA
Punta de Lens
Cabo de Corrubedo
Cabo Falcoeiro
Isla de Ons
Islas Cíes
Cabo Silleiro
Playa de La Guardia
Punta de Santa Tecla
Praia de Sto. André
RÍAS BAJAS
OCÉANO ATLÁNTICO

1. DER KÜSTENPILGERWEG

2. DER KÜSTENPILGERWEG
MAR CANTÁBRICO
OCÉANO ATLÁNTICO
Rías Altas
Rías Baixas
Costa Verde
A Coruña
Ferrol
Carballo
Santiago de Compostela
Noia
A Estrada
Vilagarcía
Cambados
O Grove
Pontevedra
Marín
Cangas
Redondela
Vigo
A Guarda
Carballiño
Lalín
Cangas
Arzua
A Lavacolla
Melide
Palas de Rei
Lugo
Portomarín
Sarriá
Triacastela
Monforte de Lemos
Ourense
Xinzo de Limia
Verin
Betanzos
Vilalba
As Pontes de García Rodríguez
Viveiro
Burela
Luarca (Valdés)
A Fonsagrada
Cangas del Narcea
Pola de Allande
Salas
Grado
Villablino
Ponferrada
O Barco
Bembibre
Rabanal del Camino
Castrillo de los Polvazares
Astorga
La Bañeza
Benavente
Avilés
Candás (Carreño)
Gijón
Oviedo
Mieres
Langreo
Pola de Siero
Pola de Lena
Pola de LaViana
Villaviciosa
Ribadesella
Llanes
San Vicente de la Barquera
Comillas
Santillana
Santander
Santoña
Laredo
Torrelavega
Cabezón de la Sal
Los Corrales
Reinosa
Aguilar de Campoo
Guardo
León
Mansilla de las Mulas
Sahagún
Carrión de los Condes
Villalcázar de Sirga
Frómista
Castrojeriz
Palencia